CU00549633

SALE HISTOIRE

Charline Quarré

SALE HISTOIRE

Roman

© 2022 Charline Quarré

Édition : BoD – Books on Demand,
12/14 rond-point des Champs-Élysées, 75008 Paris
Impression : BoD - Books on Demand,
Norderstedt, Allemagne

Illustration : cthulhu-5274129

ISBN : 978-2-3224-0995-2
Dépôt légal : Mai 2022

À Jérémy,
Mon merveilleux mari.

PARTIE I. KING OF WOODBURG
CHAPITRE 1

Les vagues du lac charriaient les feuilles mortes dans le noir. La fraicheur du soir avait soufflé les derniers promeneurs vers le centre-ville. Ils étaient peu nombreux. Les vacanciers tardifs d'octobre avaient cédé leur place aux retraités venus séjourner au George Palace, et ces derniers quitteraient bientôt les lieux pour les états du Sud.

Ce soir-là, l'agitation régnait dans les cuisines de l'hôtel. Natale Parlante, le chef italien du George Palace, distribuait ses ordres en se retenant tout juste de les aboyer. La soirée était importante pour lui. Tout le gratin de Woodburg et ses environs dînait dans la grande salle, ainsi qu'une brochette journalistes locaux. En jeune prodige de la gastronomie certain de son talent, Natale comptait bien faire vanter la qualité de sa cuisine le plus loin possible. Lorsque la pression retombait, le temps de quelques secondes où personne ne l'entendait, il se mettait à fredonner comme un adolescent amoureux.

Et en effet, dans la grande salle du restaurant surplombant le lac à l'image d'un vaisseau de vieilles pierres, sous les lustres en cristal suspendus au plafond vertigineux, les convives étaient séduits. La plupart des membres du Country Club de Woodburg tels que Bruce et Gina Flare avaient répondu présents, ainsi que son nouveau directeur, Aidan Norton, accompagné de son épouse Barbara. Son père, John Norton, à qui il avait succédé, avait déjà maculé sa serviette de toutes les sauces des différents plats en écoutant piailler sa voisine de table, Lorenza Page. L'ancien maire retraité, Gordon Dwight, dînait à quelques tables de son remplaçant, Rupert Springs. Linda Springs, tenant à sa ligne de première dame, picorait du bout des lèvres en discutant avec Arthur et Rose Waterfalls, couple de résidents secondaires. Et, chose inédite depuis l'inauguration de l'hôtel trois ans plus tôt, une équipe de télévision française se faufilait discrètement parmi les deux cent invités triés sur le volet.

Au moment des desserts vint le temps du verdict. L'orchestre cessa de jouer, les conversations moururent et l'assemblée entière tourna la tête vers la scène lorsqu'un fameux promoteur de Samsontown tenant un trophée dans une main s'empara du micro de l'autre.

« Bonsoir à tous. Il y a un an aujourd'hui, j'ai eu l'immense honneur de recevoir le titre d'homme d'affaires de l'année 2003. Cette distinction, je l'ai vécue comme un adoubement, une consécration, la plus belle récompense qui soit ... »

En coulisses, Stella Wings, directrice commerciale de l'hôtel interpella Ralph Hayes, le directeur financier, et tous deux épièrent avidement la scène depuis la réception. Natale Parlante en fit de même en passant la tête à travers les portes battantes des cuisines.

« ... encore merci à tous, conclut l'orateur. Je laisse maintenant à l'ancien maire de Woodburg le soin de révéler le nom de l'homme d'affaires 2004. Merci d'applaudir Gordon Dwight ! »

Gordon se hissa sur l'estrade le temps des applaudissements. Il réajusta son noeud papillon, chaussa ses lunettes et avança vers le micro où tonna sa voix d'orge.

« Chers amis, bonsoir. L'annonce du Lauréat à qui l'on m'a proposé de remettre moi-même le prix ce soir m'émeut beaucoup. Cet homme d'affaires 2004 n'était qu'un gamin aux poches vides lorsque je l'ai rencontré pour la première fois. »

Dans la salle, la moitié des regards quittèrent Gordon Dwight pour se fixer sur un seul et même homme attablé à côté de son épouse.

« Ce soir, poursuivit l'ancien maire, c'est avec la plus grande gratitude que je remets ce trophée à celui qui, par son travail acharné, a ressuscité la petite ville de Woodburg qui tombait en désuétude, sauvant ainsi les affaires des commerçants. Année après année, Woodburg a vu grandir ce jeune homme qui a fait rénover toutes ses infrastructures et l'a faite prospérer. Il y a fait revenir les touristes, les estivants, et de nouveaux habitants. Il y a fait revenir la vie, tout simplement. Et ce soir, Woodburg n'est pas la seule à dire merci à cet homme à qui le titre d'homme d'affaires 2004 est décerné, au petit français au grand destin : Robert Jovignot, le Roi de Woodburg. »

La caméra de télévision française se braqua sur Robert. Sonné, il embrassa sa femme sous un tonnerre d'acclamations et l'orchestre retentit en fanfare tandis que les membres du personnel regagnèrent leurs postes. Puis le nouvel homme d'affaires de l'année se hâta de monter sur la scène où il embrassa Gordon Dwight et serra vigoureusement la main de son prédécesseur. Il s'adressa au public avec un reste presqu'imperceptible d'accent français.

« Je suis extrêmement honoré de recevoir ce titre auquel je ne m'attendais pas. C'est une immense surprise, et une immense joie. Merci au jury qui m'a choisi, et merci à tous pour votre chaleureux soutien. J'ai une pensée particulière pour mon mentor, George Hansen, décédé il y a trois ans à qui je dois ma réussite, et à sa veuve, Antonia, dont l'état de santé, hélas, ne lui permet pas d'être là ce soir. Je les porte dans mon coeur à jamais. »

Il eut un blanc dû à l'émotion, regarda le trophée dans sa main et le brandit devant l'assistance d'un geste nerveux.

« Je pense que ma fille de deux ans va avoir un nouveau projet de démolition en perspective à la maison. »

Il laissa les rires s'évanouir le temps de reprendre ses esprits et son souffle.

« Enfin et surtout, je dois remercier la femme de ma vie, Brooke. Elle a décoré chaque pièce de cet hôtel avec talent, et si ce n'était que cela … Non, bien plus que cela. Brooke est le commencement de tout, et de l'homme que je suis devenu. Elle est celle qui mérite vraiment le trophée, non pas d'homme d'affaires de l'année, mais de femme du millénaire. »

Les acclamations fusèrent en direction de son épouse restée assise. Si elle était habituée à attirer les regards, elle était gênée d'en attirer autant en un seul instant. Elle acquiesça cependant, avec un sourire sauvage et un port de reine.

*

Robert ne s'autorisa à respirer qu'une fois la porte des toilettes des hommes refermée. La pièce de marbre immaculée était parfaitement déserte. Il passa ses mains moites sous l'eau fraiche d'un robinet en fixant son reflet dans le miroir. Satisfait, il se sourit à lui-même, comme par défi. *Voilà Jovignot, tu peux être fier.* Il n'était pas spécialement beau, il était même tout à fait ordinaire, de taille moyenne, yeux noirs et cheveux bruns épais aux épis réfractaires à la discipline, mais cela n'avait pas d'importance. Il avait sa consécration. Si le *Gros Robert* débarqué de sa Bourgogne natale, le *Sabot Crotté* du lycée parisien qu'il eut fréquenté suite à une mutation de son père à la capitale, si le *Goret* replet et humilié à l'acné ravageur était depuis longtemps de l'histoire oubliée, elle devenait à cet instant de l'histoire piétinée.

Lorsque le jet d'eau cessa, il entendit des escarpins marteler les toilettes des femmes et songea à des travaux d'insonorisation en s'essuyant les mains dans une serviette à la douceur de nuage. Il reconnut les voix de Lorenza Page et de Gina Flare sans doute venues se remaquiller en duo. Brooke ne faisait jamais cela. Brooke n'avait besoin de personne pour faire quoi que ce soit.

« Vous savez qu'à ce qu'il paraît, Brooke Jovignot se tape Russel Brown ? » fit Gina de l'autre côté du mur.

Il y eut un silence. Robert sentit un choc. Quelque chose comme une électrocution. Une foudre qui l'immobilisa au-delà de la stupeur. Plus rien. Plus un bruit. Il avait dû rêver. Il avait dû se méprendre.

« Russel Brown !? Le mari de Kristen ? retentit finalement la voix incrédule de Lorenza.

- Absolument.

- Mais ça n'a pas de sens. Kristen est sa meilleure amie.

- Ah ah ! Vous pensez sincèrement que c'est un argument ?

- Non … en effet. Mais d'où vous tenez ça ? Vous avez des preuves ? »

Robert pensa à une blague. *C'est forcément une blague. Gina fait marcher son amie, après ça, elle va éclater de rire et se moquer de la tête qu'elle a fait avec son botox.*

« Pas de vraies preuves, mais une histoire plutôt édifiante.

- Mais encore ?

- Il y a eu une gifle.

- Oh ! s'impatienta Lorenza, dites-m'en plus.

- Kristen a giflé Brooke en pleine rue cet été en la croisant dans le centre-ville. Il y a forcément une affaire de coucherie là-dessous. Kristen l'a giflée sans rien dire. Elle n'avait même pas l'air en colère. Elle l'a giflée comme si c'était une chose à faire.

- Brooke s'est défendue ?

- Non. Brooke n'a pas répliqué. Et elles se sont éloignées sans un mot.

- Incroyable ! Vous avez assisté à ça ?

- Non. C'est Sharon Bishop, la propriétaire de la boutique de maillot de bains qui a vu la scène en allant faire ses courses. Elle l'a racontée ensuite à l'autre folle, Roberta Madden. Ce sont mes voisins, les Woodehouse qui me l'ont répété.

- Et je ne suis même pas au courant ! Vous auriez pu penser à moi !

- Je pensais que rien ne vous échappait.

- La preuve que non, soupira la vieille veuve. En tout cas, ça prouve que Brooke a fini par avoir du goût en matière de mâles ! Russel Brown, j'en aurais bien fait mon goûter !

- Ah ah ! Lorenza enfin ! Vous êtes impossible ...

- Mais enfin, il ressemble au chanteur de Queen.

- C'est vrai, c'est vrai, fit rêveusement Gina. En tout cas, Brooke, *la femme du millénaire*, c'est pas tellement ça.

- Pute du millénaire oui ! »

Les rires mêlés eurent un écho terrible contre le marbre. Un écho d'enfer hurlé en canon. Rob suffoquait. Il tremblait de tout son corps. C'était inimaginable. Ce n'était pas réel. Cette conversation n'avait pas pu avoir lieu. *Brooke ne me trompe pas, elle ne ferait jamais ça.* Il avait bien identifié les voix, pourtant. Cette chose atroce, ce fait mortel, ce bruit odieux qui avait l'air de courir, de bouche à oreille, de se propager comme une tumeur. Son coeur semblait s'être arrêté.

Et si elle me trompait pour de vrai ?

Soudain la porte s'ouvrit, et la silhouette massive d'Aidan Norton marcha vers lui.

« Ah vous êtes là Rob ! Félicitations ! C'est mérité, vraiment ! ».

Rob était aussi pâle que les murs, immobile, la lèvre tremblante. Aidan s'arrêta alors qu'il se dirigeait vers la porte en chêne d'une cabine.

« Rob ? Ça va ? Vous êtes tout blanc. »

Robert se reprit, il déglutit du vide et força un sourire.

« Oui pardon, c'est toutes ces émotions. Ça m'a secoué.

- Encore bravo », conclut son ami.

Robert s'empressa de sortir de la pièce et traversa la galerie. Il s'arrêta au seuil de la grande salle et resta planté comme un spectateur. Un étranger.

Brooke souriait. Elle recevait des compliments, serrait des mains, hochait la tête, usant de peu de mots. Brooke ne parlait presque pas. Elle n'avait pas besoin de parler pour subjuguer. On disait parfois d'elle qu'elle pourrait mettre la terre entière à ses pieds sans dire un mot. *La terre entière dans ton lit*, susurra une voix mauvaise dans le crâne de Robert.

Il resta planté là, les bras raides le long du corps, invisible et incrédule. Est-ce que Brooke se tapait réellement Russel Brown ? Est-ce que tout le monde le savait dans cette salle ? Est-ce que les gens qu'il voyait rire à pleines dents riaient de lui ?

Robert sursauta lorsque le cadreur l'interpella par son prénom en fixant sa caméra en gros plan sur son visage luisant, son visage de *Gros Robert*, vulnérable, à la merci des moqueries. Robert en français, sans l'accent américain qui rend le prénom digne.

Alors Robert fit semblant.

CHAPITRE 2

Robert regagna les hauteurs de Woodburg plongées dans la nuit. Il négociait en silence les virages pointus de la colline entre les bois. Brooke regardait placidement devant elle, ses yeux bleus cillaient à peine, comme un soir ordinaire.

Est-ce que c'est vrai ? hurlait son mari intérieurement. La question était terriblement douloureuse. Le doute insupportable. Mais poser la question à la principale intéressée était au-delà de ses forces. *Et si elle me disait oui, droit dans les yeux ?* Il ne pouvait pas. Il voulait savoir, mais il refusait de poser la question.

Les mains crispées sur le volant, il prit une inspiration maladive. Il ne voulait avoir l'air de rien.

« Ça fait longtemps qu'on a pas vu Kristen, non ? fit-il d'une voix qui malgré ses efforts sonnait faux. Qu'est-ce qu'elle devient ?

- Je ne sais pas. »

La voix de Brooke était posée, assurée. Rob avança une autre carte.

« Et Russel ? Tu l'as croisé dernièrement ?

- Non », répondit-elle avec la même indifférence.

Il arrêta son enquête et franchit un instant plus tard le portail. Il coupa le moteur devant l'immense villa de lambris blanc dressée devant la forêt, élue plus belle propriété de Woodburg bien avant que Robert n'y mette les pieds pour la première fois.

*

Ella Hunter éteignit la télévision et se leva du canapé lorsque les pas des Jovignot retentirent dans le vestibule.

« Georgia dort, annonça l'adolescente. Elle m'a donné un peu de fil à retordre au moment d'aller au lit mais à part ça elle a été sage.

- Merci Ella, fit Brooke en glissant des billets dans la main de la baby-sitter. Bonne nuit.

- Bonne nuit Madame Jovignot. »

Brooke disparut au premier étage.

« Tu es venue en voiture ? demanda Rob à la jeune fille.

- Non pas ce soir. C'est mon père qui m'a déposée.

- Alors viens, je te raccompagne. »

Il redescendit la colline en pilote automatique, le visage transpirant et les yeux hagards. *Est-ce qu'Ella est au courant de la rumeur ? C'est sûr. Si il y a rumeur, elle doit savoir.*

La baby-sitter était la nièce de Melanie Hunter qui tenait le magasin Shopper. Et Melanie Hunter avait Brooke en horreur. Sharon Bishop qui aurait été témoin de la gifle était très amie avec Melanie. Les deux concurrentes d'enseignes de prêt à porter   locales étaient tout à fait complices lorsqu'il s'agissait de médire sur Brooke qui avait travaillé dans leurs boutiques lors son installation à Woodburg avec lui. Cela s'était bien passé, pourtant. Brooke leur avait donné satisfaction lorsqu'elle avait été leur employée, et les deux femmes l'avaient en apparence prise en affection. Peut-être ne supportaient-elles pas qu'elle devienne une cliente par la suite. Quoi qu'il en fut,   l'attitude de Melanie Hunter et de Sharon Bishop avait insidieusement changé envers sa femme, glissant de la sympathie vers une mesquinerie polie.

Il était certain, dès lors, que Melanie avait informé sa nièce des rumeurs sur la mère de la petite Georgia qu'elle venait garder régulièrement. *Tu parles qu'elle ne s'en est pas privée...*

« Monsieur Jovignot ? fit la jeune fille.

- Oui ?

- Vous allez bien ?

- Oui pourquoi ? »

Il tourna la tête vers Ella. L'adolescente tordait nerveusement ses doigts fins aux ongles vernis de bleu autour de sa longue tresse caramel, la même couleur de ses yeux inquiets.

« Vous avez déjà fait trois fois le tour de la place. »

Rob regarda le kiosque et le carrousel dressés au milieu de l'espace vert qu'il avait fait rénover et autour duquel il tournait désormais comme prisonnier à l'heure de la promenade.

« Pardon, j'étais dans mes pensées. J'ai eu pas mal d'émotions dans la soirée », dit-il en s'engageant sur l'avenue de la baby-sitter. *C'est le moins qu'on puisse dire.*

Peut-être qu'Ella sait, se dit-il. Mais si c'était le cas, elle s'en foutait très probablement. *A dix-huit ans à peine, on a autre chose en tête que les ragots des adultes, on ne pense qu'à s'enfuir dans une grande ville.* Ella Hunter avait toujours été d'une douceur d'ange avec Georgia, et la petite l'adorait. C'était tout ce qui comptait.

Impossible, tentait-il de se convaincre en reprenant son ascension seul vers sa maison. Il rassembla ses idées, l'incohérence de ce qu'il avait entendu dans les toilettes. Il n'avait jamais douté de sa femme.

Kristen Ward était la seule véritable amie de Brooke et la marraine de leur fille. Elles avaient grandi côté à côte à Houston, inséparables. C'était chez les Ward que Brooke s'était enfuie à l'âge de dix-sept ans dès lors qu'elle eut coupé les pont avec sa famille. Les Ward l'avaient accueillie comme leur fille. Kristen était comme sa soeur. Les gens les avaient toujours prises pour des soeurs jumelles, aujourd'hui encore. Lui aussi l'avait cru, la première fois qu'il les avait vues devant un marchand de glace des Hamptons. Toutes deux vêtues de shorts en jean et de sandales, coiffées de longues tresses. Elles se tenaient par le bras, leurs sorbets à la main. Deux lianes bronzées de dix-neuf ans aux visages de statues, inaccessibles. Et lui, à peine plus âgé, l'air gauche, éberlué, frappé en plein coeur tel un imbécile. Foudroyé par Brooke. Aujourd'hui encore il se demandait comment il avait eu le cran de lui adresser la parole juste avant qu'elle ne disparaisse, greffée à sa jumelle.

Brooke ne pouvait pas coucher avec le mari de sa jumelle.

Rob changea de perspective en braquant le volant dans l'avant-dernier virage. Il songea à Russel Brown et réfléchit, chercha. Il était vrai que ces derniers temps, il avait plus souvent croisé Russel que son épouse en ville. Il y avait encore quelques années, Kristen devait trainer son mari de force pour venir passer les vacances dans la villa de ses parents à Woodburg. Et depuis un certain temps, la tendance semblait s'être inversée. Russel se rendait à Woodburg de plus en plus souvent, parfois même sans que Kristen ne l'accompagne. Il faisait organiser la plupart des évènements, séminaires ou séjours offerts aux clients de son agence immobilière de Chicago à Woodburg, ce qui n'était pas la porte à côté. *Ça ne veut quand même rien dire. C'est une preuve de rien.*

Rob gara sa Lincoln beige dans le double garage, le crâne en feux d'artifice. *Mieux vaut vérifier par soi-même.*

La maison était endormie. Il referma la porte avec d'infinies précautions et attendit un instant. Aucun bruit à l'étage, aucun interrupteur subitement allumé. Surveillant l'escalier, il glissa une main fébrile dans le sac à main de Brooke posé sur la commode et agrippa son téléphone portable.

Il n'est pas encore trop tard, réfléchis bien à ce que tu fais, songea-il, l'appareil dans les mains. Puis il ouvrit le clapet.

Il alla dans le répertoire électronique. Le numéro de Russel Brown y était bien enregistré. Pas de nom de code, rien de suspect. Le coeur de Rob battait à tout rompre. Le moment de vérité approchait. La liste d'appels ne mentionnait jamais Russel, aussi loin qu'il remonta. La boite de messages envoyés était vide. Il se rendit dans les messages reçus.

Le nom de Russel n'apparut à aucun moment. *Je suis en train de me faire un film à petit budget.*

Il examina les messages reçus. Il y en avait peu, et la plupart des émetteurs avaient un nom. Soledad Orteno, une amie de Brooke aux allures de hippies qui tenait la galerie d'art Phenomenal, était le plus récurrent. Il s'agissait de rendez-vous improvisés pour boire une tasse de thé au Phenomenal.

Un numéro non enregistré revenait régulièrement. Rob en ouvrit un message. Puis un deuxième. Il les lut tous à mesure qu'il se laissait s'affaisser sur le parquet.

Ces messages réguliers ne laissaient plus place au doute. Ils émanaient d'un homme qui voyait Brooke à peu près tous les jours. Il fut vite certain que le type en question ne vivait pas à Chicago. Qu'il ne s'appelait pas Russel Brown. Et qu'il se tapait sa femme.

CHAPITRE 3

Il rouvrit les yeux dans son lit. Il faisait jour. Il se frotta les yeux et regarda l'heure. Il avait dix minutes d'avance sur son réveil et une sensation de lendemain de cuite. Puis il se prit la réalité en plein figure avec le soleil froid d'automne. Le souvenir de la veille. La rumeur. Le téléphone de sa femme.

La place à côté de lui était vide et les draps beiges défaits. Un instant, Rob se dit que Brooke était partie. Qu'elle l'avait quitté. Qu'elle avait profité de son sommeil pour faire ses valises et s'enfuir chez son amant pour de bon en emmenant Georgia. Cela ne dura qu'une seconde où décoiffé, crispé de tout son corps, il songea à mourir. Puis vint une autre explication, plus plausible. Brooke s'était tout simplement levée avant lui.

Il rejeta les draps et les nombreux coussins brodés jonchant le lit et fit quelques pas sur la moquette claire vers le palier. Très vite, il entendit les babillages matinaux de Georgia au rez-de-chaussée, et les syllabes inaudibles de Brooke, de la voix douce dont elle n'usait que pour s'adresser à leur fille. Rassuré, Rob sentit son pouls ralentir.

Il ne descendit à la cuisine qu'après s'être longuement douché à l'eau froide et avoir enfilé son costume. Brooke lui tournait le dos dans la pièce gris noir d'une propreté clinique qui jurait avec les tons naturels et clairs du reste de la maison.

Brooke découpait des oranges sur le plan de travail en granit. Elle ne l'avait pas entendu descendre, et il n'avait pas envie d'affronter son regard. Pour l'instant, il en était épargné. Georgia interpella son père depuis sa chaise-bébé et Robert alla l'embrasser. Ce fut à ce moment que sa femme se retourna et qu'il croisa son regard. Il se redressa. Il la regarda longuement, sans rien dire. Elle le fixait de même.

Elle rompit la bataille silencieuse en désignant la table du petit déjeuner.

« Tu veux des gaufres ?

- Non. Je n'ai pas faim. »

Un éclair de stupeur traversa les yeux de Brooke. Robert avait toujours faim. Il n'était jamais sorti à jeun le matin. Il ne sortait jamais affronter une journée de travail sans s'être joyeusement empiffré.

« Je veux juste un café. »

Brooke le lui servit sans ciller. Jamais non plus il n'avait exigé un café à sa femme de cette manière rude, sans trace de politesse. Il ne l'avait pas fait exprès.

« Merci », articula-t-il avec difficulté.

Il porta la tasse fumante à ses lèvres. Le café lui brûla la langue et la gorge mais il voulait le boire vite. Il voulait sortir d'ici. Il ne pouvait plus rester dans la cuisine comme un *Gros Robert* face à Brooke qui le regardait à présent à la manière d'une adolescente parisienne. Il se sentait maladroit, gauche, ridicule et laid. Le café lui brûla le ventre. Une envie pressante de courir aux toilettes, honteux. Il sentait qu'il suffoquait.

Il reposa la tasse en éclaboussant la table au milieu des miettes, tendit son index à sa fille qui le serra dans sa main, et annonça qu'il partait au travail.

Robert Jovignot sortit pour la première fois sans embrasser sa femme.

*

En sortant, il croisa la vieille Ford de Mary Fine, leur femme de ménage qui grimpait jusqu'à chez lui. Il lui adressa un petit signe de la main et descendit la vallée. En bas, Woodburg démarrait son activité sous un soleil qui allait se couvrir dans la journée. De gros nuages descendaient du nord.

Les cars scolaires ramassaient les enfants et adolescents de Woodburg pour les déposer aux collèges et lycées de Samsontown, suivis de peu du cortège de voitures des habitants de Woodburg qui travaillaient dans les bureaux de Samsontown. Les enfants les plus jeunes quant à eux affluaient accompagnés de leurs parents vers l'école locale, près de la mairie.

Les touristes matinaux en nombre réduit d'automne sortaient du George Palace, de l'auberge Woodburg Inn, du Welcome ou du Sumertime, les deux bead and breakfast de la ville. Ils se promenaient sur le port où ils croiseraient à coup sûr la femme du maire Linda Springs faisant son jogging en tenue moulante, puis iraient sans doute s'installer chez Eliane Bakery pour leur premier café. Heather Foley, la propriétaire, ouvrait comme d'habitude son échoppe une heure avant que son mari Christopher n'ouvre son propre commerce, le WB Market, seul supermarché de Woodburg devant lequel se pressaient déjà les premiers clients en manque de sucre ou de lait.

L'heure d'ouverture du supermarché était la même que la plupart des commerces de Woodburg. La dernière rue à s'éveiller était celle qui longeait le George Palace, regroupant les quelques boutiques de luxe de Woodburg. Soledad Orteno, cheveux bruns en désordre, y ouvrirait la porte du Phenomenal en tout dernier, faisant cliqueter des dizaines de bracelets en argent à ses poignets.

Les riverains les plus fortunés se dirigeaient pour la plupart au Country Club où Aidan Norton arrivait pile à l'heure de Marlow, village niché dans la nature à quatre kilomètres d'ici sur le lac. Son personnel était en place, impeccable. Andrea Perez, le jeune masseur, se frottait les mains d'huile en pensant aux pourboires généreux qu'allait encore lui lâcher Lorenza Page entre ses doigts décharnés ornés de faux ongles et de grosses pierres. Arthur et Rose Waterfalls arriveraient tôt pour investir le court de tennis en premier, et le vieux Gordon Dwitgh la salle de musculation. Plus tard, Brooke s'y rendrait avec Georgia qu'elle confierait à l'espace surveillé aménagé pour les enfants en bas âge durant sa séance de natation matinale.

Un matin comme les autres à Woodburg.

*

Il n'en allait pas de même pour Robert Jovignot.

Il se gara sur les pavés de la cour devant ses bureaux de RJ Company situés dans un ensemble rénové de vieux bâtiments bas, annexes du George Palace. Lorsqu'il entra dans ses locaux, son assistante Juliana Fobert jaillit de son fauteuil en cuir, un exemplaire du Daily Woods à la main. Robert faisait la une du journal régional.

« Vous avez vu ça, Monsieur Jovignot ? C'est génial ! Félicitations !

- Merci Juliana. Non je n'avais pas encore vu ça. »

La fougue sincère de sa jeune employée aurait été contagieuse en temps normal. La bonne humeur constante de Juliana, son large sourire franc et ses yeux marrons en amande, l'étaient chaque jour. Mais pas ce matin-là. Même Jordan Miller, vieux garçon comptable amorphe qui avait travaillé presque bénévolement au début de sa retraite pour Robert à l'ouverture de RJ Company, d'habitude si flegmatique, était en cet instant aussi frétillant qu'un poisson hors de l'eau, son éternel noeud papillon exceptionnellement de travers. Robert prit sur lui pour leur adresser le sourire le moins faux possible et alla s'enfermer dans son bureau.

Il commença à feuilleter les dossiers que Juliana avait mis à jour en arrivant. Il examina les chiffres d'affaires de ces derniers jours et la liste des mariages et séminaires à venir mais ne parvenait pas à se concentrer. Les chiffres dansaient devant ses yeux. Il continuait à tourner les pages, agité de spasmes nerveux. Il abandonna au bout de quelques minutes et se couvrit le visage des mains. Une sensation de vertige lui tournait la tête. Ecartant les doigts comme un devant un film d'horreur, il lut au travers la une du journal posé sur son bureau comme une provocation. « Le Frenchie, roi de Woodburg, sacré homme d'affaires de l'année 2004 à 33 ans ». Couverture qui ressemblait à s'y méprendre à celle de 1993 titrée « Le français qui redonne vie à Woodburg » après l'organisation de ses premières parades de Noël et festivals de musique d'été, à cela près qu'il avait vieilli sur la dernière photo. Si l'article paru neuf ans plus tôt avait eu sur lui un puissant effet euphorisant, une sensation de victoire, ce n'était plus ce qu'il ressentait à présent que tout semblait lui échapper, maintenant qu'il était désormais question de saluer sa réussite avérée.

Il regarda les cadres photos de Brooke et Georgia jalousement posés sur son bureau, seule décoration de son lieu de travail impersonnel aux tons blanc et beige. Le plus grand format au cadre de cristal était un cliché de leurs fiançailles entourés des couples Ward et Hansen. Comme si les Ward étaient les vrais parents de Brooke et les Hansen ses parents à lui. Il songea à Antonia Hansen qui ne ressemblait plus vraiment au sosie de Romy Schneider qui posait en lui tenant le bras. Son état s'aggravait depuis son attaque cérébrale deux ans plus tôt et depuis, Robert payait les soins médicaux de la veuve à domicile. Cela faisait deux jours qu'il n'était pas allé la voir chez elle. Il constata honteusement qu'il n'aurait jamais le courage d'aller lui rendre visite aujourd'hui.

Il sentait tout son monde tourner à côté de lui. Et se fissurer sous ses pieds.

*

Il avait fait annuler sa réservation habituelle au Harvey Steak House. Il ne voulait pas déjeuner en ville, exposé aux regards. Il avait fait prévenir son architecte qui devait venir de Samsontown pour déjeuner avec lui, et les deux hommes se retrouvèrent au restaurant du George Palace sur la fin du service du midi. Matthew Norbert félicita Rob et, sitôt qu'ils s'assirent face au lac, le chef Natale Parlante passa saluer Rob et le féliciter pour son prix.

Rob n'était pas d'humeur aux mondanités. Ainsi laissa-t-il Matthew monologuer sur le sujet du rendez-vous en intervenant au minimum, comme sous hypnose.

« Le début du chantier est imminent. Tout est presque prêt.

- Ah… »

Matthew déplia le dernier plan sur la nappe blanche, repoussant légèrement l'assiette de gnocchis que Rob n'avait pas encore entamée.

« Voilà, là c'est le Country Club sur le lac. Plus haut, dans la pente, le practice de golf agrandi d'un hectare. Là tout en haut, c'est le nouveau bâtiment et sa terrasse. La salle de réception ici, le bar là et dans cette aile, le restaurant.

- Je vois. Et les arbres ? »

L'architecte eut un début de sourire narquois qu'il se hâta de réprimer. Il y avait une douzaine de grands conifères sur l'extension du practice que Robert s'entêtait à vouloir garder car selon lui, les arbres étaient *importants*. Sans doute une réminiscence d'ex-campagnard.

« Oui c'est promis, les arbres seront soigneusement déracinés par un pépiniériste et replantés comme vous vouliez en rang le long de l'enceinte du Country Club. Ça va coûter une fortune et rallonger le chantier, mais bon ...

- Les arbres, c'est important. »

Légèrement agacé, Matthew acquiesça, frottant de sa main sa barbe naissante. Il répéta le même geste pensif sur ses boucles poivre et sel.

Le chantier allait coûter une fortune et durer jusqu'au printemps, mais Rob était patient. Le projet était resté longuement en suspens. Une association de riverains menée par Alfred et Caroll Woodehouse s'était opposée aux permis de construire. Une longue procédure à l'issue de laquelle l'avocat de RJ Company, Spencer Billings, avait remporté l'affaire.

Matthew poursuivit son exposé en indiquant des détails de la mine de son crayon. Rob fronça les sourcils, fixant son interlocuteur qui avait les yeux rivés à son plan. *Et si c'était lui qui couchait avec ma femme ?* Matthew avait toujours été comme larron en foire avec lui, à grand renfort de claques dans le dos. Des démonstrations d'affection proportionnelles à l'importance des chantiers. L'architecte ne manquait jamais de loucher sur Brooke au passage. Comme beaucoup, certes. *Mais tout de même …*

« Rob ? Vous m'écoutez ?

- Oui, oui.

- Vous avez parlé du transport et des délais avec votre fournisseur ?

- Du transport de quoi ?

- Les pierres de Bourgogne. Vous m'avez dit que vous connaissiez personnellement le vendeur.

- Oui je l'appellerai tout à l'heure. Quand il n'y aura pas de problème de décalage horaire entre ici et la France.

- Bien bien. »

Matthew Norbert replia ses plans qui furent remplacés par les cartes des desserts.

*

Robert enchaîna sur une réunion qu'il regretta de ne pas avoir remise à plus tard lorsque son équipe fut déjà réunie autour de la table. *Tant pis c'est trop tard, j'aurais dû y penser ce matin.* Il eut l'étrange sensation que la réunion se déroulait sans lui. Qu'il n'était pas dans la pièce. Dématérialisé. Tour à tour, il focalisait son attention brouillée sur Ralph Hayes, Stella Wings, Jordan Miller et Juliana Fobert, quatre individus remuant les lèvres sans que Rob n'entende ce qu'ils disaient. De l'extérieur, un mince rayon de soleil avait percé les nuages, puis les stores à lattes de bois pour se réfléchir sur le vernis de la table. La tâche de soleil lui fit mal à la tête. *Prends sur toi. C'est bizarre, mais fais un effort s'il te plait, essaye de faire bonne figure.* Il figea son visage en quelque chose qu'il espérait faire ressembler à un sourire mais qui eut sur ses muscles l'effet d'une grimace. Il n'était pas convaincu du résultat et cessa cette contorsion faciale la seconde suivante.

Tandis que Stella Wings détaillait sa stratégie marketing pour les deux prochains mois, Robert regardait son directeur financier qui prenait de brèves notes dans son Moleskine. Grand brun gominé à l'ossature de géant, Ralph Hayes aurait fait paraître la pièce trop petite pour lui. Son élégance semblait innée. *Ce type est né en costard avec une grosse montre et les cheveux à l'arrière*, lui avait un jour soufflé son avocat. Rob était du même avis. Ralph Hayes incarnait la distinction. Rob, lui, avait dû l'acquérir au prix de nombreux efforts mais était encore loin d'arriver au niveau de son directeur financier qui de toute façon le dépassait de deux têtes.

Et pourtant ... Si la nature avait doté cet homme d'un physique enviable et d'une classe à toute épreuve, la vie elle ne l'avait pas épargné. En l'embauchant trois ans plus tôt, Rob avait compris que Ralph Hayes avait traversé les Etats Unis jusqu'ici pour se reconstruire, morceau par morceau. Il avait quitté Los Angeles où il avait toujours vécu suite à un divorce, laissant derrière lui un petit garçon dont il n'avait pas la garde. Rupture assez terrible pour devoir renoncer au soleil et ne jamais vouloir en parler. *Même lui. Ça arrive même aux types comme lui.* Lui aussi avait-il été trompé par la femme de sa vie ? Rob frémit à l'idée de vivre la même chose. Se séparer de Brooke, faire une croix sur Georgia. Ne plus jamais les revoir.

Il finit par percevoir la gêne de Ralph qu'il avait copieusement dévisagé ces dernières minutes sans s'en rendre compte, rougit brièvement, réajusta sa cravate et annonça que la réunion était terminée. Il demanda à Juliana de bien vouloir lui apporter une aspirine. Stella rassembla ses feuilles et son carré noir corbeau derrière ses oreilles avec un léger soupir exaspéré, son patron l'ayant coupée en plein milieu de son exposé.

Il resta un long moment hypnotisé à regarder l'aspirine fondre dans le verre d'eau que Juliana avait posé devant lui sans oser lui demander comment il se sentait. Son assistante avait bien vu qu'il était perturbé et qu'il avait besoin de calme.

Lorsqu'il se lassa du spectacle de l'aspirine fondue, il consulta l'heure et but le médicament. Il devait être dix heures du matin en France.

Il chercha le numéro de la carrière de pierres Jouvier & Fils dans son répertoire. Patrick Jouvier, le gérant, répondit à la troisième sonnerie.

« Oh le businessman ! Comment tu vas !? s'exclama Patrick lorsqu'il reconnut sa voix.

-   Oui », répondit Robert, souriant en apercevant qu'il avait répondu à côté de la question.

Patrick Jouvier était un ami d'enfance de la petite soeur de Rob, Claudine. Robert le soupçonnait d'ailleurs d'être amoureux d'elle, comme devaient sans doute l'être les trois tiers des garçons qui avaient croisé sa soeur au moins une fois dans leur vie. Claudine avait le don d'entrer dans la vie des gens par la porte réservée aux anges. Ses élèves de maternelle l'idolâtraient et, de leur aveu, rêvaient parfois de remplacer leur propres mères par *Madame Claudine* d'un coup de baguette magique.

Claudine avait mis son ami Patrick Jouvier en contact avec son frère plusieurs années auparavant et Rob lui avait passé deux commandes de pierres entre temps. Dès le début de leur relation d'affaires, ils avaient sympathisé au téléphone. Si au début Robert avait été légèrement mal à l'aise de la familiarité avec laquelle s'adressait à lui son interlocuteur, cela avait finit par l'amuser, et il était arrivé qu'ils restent à parler plus d'une heure de la pluie et du beau temps. Ainsi, Patrick Jouvier était son seul ami français, mais il ne l'avait jamais rencontré.

Rob se détendit, oublia son couple en péril le temps de la conversation, bousculé par l'entrain joyeux de son copain de téléphone.

« Il faudrait quand même que tu viennes visiter la carrière un jour, conclut ce dernier. Ça sera l'occasion de voir ta tête de canaille en vrai.

- Oui, un jour. Ce serait sympa. »

Lorsqu'il eut raccroché, Rob resta pensif. Il caressa le mur beige d'en face de longues minutes d'un regard triste. Et, sur une impulsion, il reprit son téléphone.

« Encore toi !? fit Patrick Jouvier.

- Oui ... Tu sais quoi ? Je vais venir. Je me mets en route maintenant. »

« Juliana, réservez-moi tout de suite un vol New-York Paris s'il vous plait.

- Comment ça, maintenant ?

- Oui oui, pour aujourd'hui. Je vais partir là.

- Mais ... »

Juliana considéra son patron agité et rouge, la cravate de travers. Il était étrange depuis ce matin, il se comportait très bizarrement. Elle ne voulait pas le contrarier en restant ahurie.

« D'accord, d'accord, dit-elle. Je m'en occupe tout de suite.

- Merci Juliana. N'oubliez pas qu'il faut compter à peu près cinq heures pour que j'arrive là-bas, je vais faire le trajet en voiture. Prenez-moi un vol qui part dans six heures ou plus. »

Il regagna son bureau à la hâte. *Il faut que je me calme.* Il allait devoir prévenir sa femme. Il hésita un moment, eut soudain le coeur très lourd. Il n'avait pas envie de lui parler. Il voulait mettre de la distance entre lui et sa souffrance. Mais il fallait la prévenir *quand même. Et si elle était avec son amant ?* se demanda-t-il en entendant la tonalité.

« Allô ?

- Brooke. Où est-tu ? »

Rob entendait un bruit de fond derrière la voix de son épouse.

« Je suis au Mekong avec la petite. Marina m'a demandé de venir lui donner des conseils. Elle veut refaire sa décoration.

- Ah oui ? Dis lui bonjour. »

Il reconnut avec soulagement la voix de la propriétaire du restaurant asiatique de Woodburg. C'était une voix qu'il aimait, et une femme qu'il aimait. Marina Chang l'avait nourrit gratuitement plus souvent que de raisonnable lorsqu'il était jeune et pauvre à son arrivée.

« Elle te dit bonjour aussi.

- Oui j'ai entendu. »

S'en suivit un court silence.

« Je pars en France faire un truc là. J'ai un vol tout à l'heure. Je passe prendre quelques affaires à la maison et je pars dans la foulée. »

Cette fois le silence fut plus long. Un silence incrédule au bout duquel Brooke voulut formuler une question mais ne parvint qu'à désarticuler une syllabe hésitante, déstabilisée.

« Bon voyage », lâcha-t-elle d'une voix chargée de tristesse.

Rob raccrocha et se dépêcha de remonter à la villa. Il était pressé de se mettre en route. Il ne voulait pas se laisser le temps de changer d'avis.

*

L'avion décolla à minuit. Rob se sentait épuisé et légèrement euphorique. Lorsque l'appareil fut à l'horizontale au-dessus des nuages, il contempla le ciel noir par le hublot.

« Retour à la maison ? » fit une voix d'homme à côté de lui.

Il se tourna vers son voisin à qui il n'avait pas prêté attention jusqu'ici. Il ne se souvenait même pas qu'il y avait eu quelqu'un sur le siège d'à côté lors du décollage. Un homme au visage creusé et livide à qui il n'aurait su donner d'âge. L'inconnu s'était exprimé en français, sans accent. Rob acquiesça.

« Depuis combien de temps n'êtes-vous pas rentré ? »

Rob fronça les sourcils et effectua un bref calcul mental.

« Depuis 1993. Onze ans. »

L'inconnu siffla entre ses dents légèrement grises.

« Ça commence à faire ...

- Oui, c'est vrai, ça commence à faire ... » répondit Rob, pensif.

Rob ne prenait jamais de vacances. Il avait travaillé chaque jour depuis son arrivée au Etats Unis, à part lors de la grippe terrible qui l'avait cloué au lit cinq jours d'affilé sept ans plus tôt.

En onze ans, il n'avais jamais cru utile de s'octroyer un week-end de néant, ou une simple journée pour s'évader, pas plus qu'il n'avait pensé à revenir sur le vieux continent.

Cependant, Rob fut aussi surpris de sa réponse que l'était son voisin. *Onze ans quand même.* Il n'y avait jamais pensé. Le chiffre paraissait hallucinant. *Onze ans, vraiment ?* Cela avait vraiment passé très vite. Trop vite. Vertigineux, à la vitesse à laquelle il traçait à présent le ciel sombre.

Son voisin déplia un journal français sur ses genoux et lui adressa un signe de tête poli.

Rob sentit soudain son crâne devenir trop lourd pour son corps.

Il somnola tout le long du vol.

CHAPITRE 4

Rob traversa le terminal de l'aéroport Charles de Gaulle en début d'après-midi. Il avait les jambes engourdies, se sentait froissé. Son maigre bagage lui pesait sur l'épaule. Il pressa le pas. Il avait horreur des aéroports et souhaitait s'extraire de celui-ci au plus vite. Une vitre transparente lui renvoya son reflet décoiffé. Il essaya d'aplatir ses épis d'une main molle en s'approchant d'un comptoir de location de véhicules.

Peu après, il put sortir du complexe de béton au volant d'une Citroën blanche dont la carrosserie immaculée lui avait donné un début de mal de tête.

Il eut quelques difficultés à trouver la bonne direction et se laissa guider par un GPS dernier cri en direction de Montbard.

Il conduisit sans s'émouvoir de son retour, baillant souvent, et alluma la radio pour se tenir éveillé. Une horde d'animateurs et d'invités motivés lui tinrent compagnie dans l'habitacle.

*

En fin d'après-midi, il quitta l'autoroute, roula quelques minutes en rase campagne et s'engagea dans le chemin de terre indiqué par la voix dans la Citroën. Il passa la pancarte *Carrière de Pierres Jouvier & Fils* et s'arrêta à côté d'un vaste hangar. Il n'y avait qu'une seule voiture sur le parking. Les employés qui devaient commencer dès l'aube avaient dû rentrer chez eux.

Sitôt qu'il coupa le moteur, un individu à peine plus jeune que lui jaillit hors du bâtiment de tôle. Il avait l'air d'un jeune homme qui aurait grandi trop vite sous une coupe au bol brune. Il portait un diamant à l'oreille et une chemise à manches courtes aux couleurs hasardeuses d'où dépassait un tatouage en forme d'écusson.

« Patrick ? demanda prudemment Robert.

- C'est moi ! »

Le gérant vint vers Rob et lui tapa dans le dos.

« Je ne t'imaginais pas du tout comme ça.

- C'est ma faute, sourit Patrick. J'ai pas écouté la dame de l'agence quand elle m'a conseillé de t'envoyer une photo. »

Rob, bousculé par ces dernières vingt-quatre heures, resta un moment les yeux écarquillés avant de comprendre la blague et émettre un rire asthmatique.

« Allez viens, fit son ami en le prenant par l'épaule, je te sors un café de la machine, t'as l'air d'en avoir besoin. Après je te fais visiter. »

« Impressionnant » lâcha Rob au-dessus du cratère. A ses pieds gisaient des blocs de pierres blanches, gigantesques, entourant les engins de chantiers bâchés pour la nuit qui dormaient à côté. Rob se sentait minuscule, friable. Il ancrait ses pieds dans sa terre natale, au sens propre. Il eut un léger vertige qu'il mit sur le compte du décalage horaire.

*

Il quitta la carrière avant que le soir ne tombe. Il avait promis à Patrick qu'il reviendrait bientôt tout en sachant qu'il mentait.

Il inscrivit la nouvelle adresse de ses parents à Arnay-le-Duc dans le GPS. Il n'avait jamais vu cette maison qu'ils avaient achetée quelques années plus tôt et ne se servait de cette adresse que pour leur envoyer des photos de Georgia de temps en temps.

Pourvu qu'ils ne fassent pas une attaque en me voyant débarquer à l'improviste. Il n'avait pas pensé à les prévenir. Tout était allé si vite depuis la remise de son prix. *Je n'ai rien fait de normal à partir de cette minute.*

Cela ferait bientôt trois ans qu'il n'avait pas vu ses parents, depuis qu'il les avait invités à passer les vacances de Noël au George Palace et célébrer le baptême de Georgia par la même occasion. Il avait aussi fait venir son frère et sa soeur avec leurs conjoints et enfants, et les Jovignot au complet avaient passé une dizaine de jours ensemble à Woodburg. Ces souvenirs heureux lui collèrent un sourire triste.

Il chassa ses idées de ruine en se concentrant sur les petites routes et s'enfonça au coeur de la Bourgogne flamboyante de l'automne.

Il freina brutalement en traversant un lieu-dit et entama une prudente marche arrière avant de s'arrêter. Il déchiffra un panneau « à vendre » en triste état et plissa des yeux vers la propriété. Au bout d'un parc où la nature avait depuis longtemps repris ses droits se tenait un immense château médiéval. Le monument, rongé par le lierre anarchique, n'avait plus de toits. A la nuit tombée, cette ruine géante semblait désespérée. Rob la contempla les yeux plein de pitié. *Quel gâchis. Comment peut-on laisser une si belle chose se dégrader comme ça ?* Puis, concluant que ce n'était pas son affaire, il reprit la route.

*

Il franchit le portail laissé ouvert peu après vingt heures. Il s'arrêta sur une allée menant à la grande maison blanche et sans âme qu'il avait vue sur des photos de famille où il ne figurait pas. *C'est aussi moche en photo qu'en vrai finalement.*

Un homme se précipita aussitôt sur la terrasse, l'air nerveux de voir une voiture inconnue pénétrer les lieux le soir tombé. Un garçon brun et robuste d'à peine trente ans au visage presque adolescent. Il s'avança vers le véhicule, et son visage méfiant apparut derrière la vitre de Robert. Marius mit quelques secondes incrédules avant de reconnaître son frère aîné.

« Rob ! C'est toi !? Mais qu'est-ce que tous fous là !? »

Sans répondre, ému, Rob sortit et étreignit son frère. Des silhouettes étonnées apparurent sur le perron. Sa soeur Claudine et sa mère enveloppée dans un châle, ses grands yeux marrons écarquillés sur son visage lisse, suivie de son père. L'air de ne pas vouloir y croire, ils restaient plantés devant la maison.

« Je n'en crois pas mes yeux, tu es venu ! » s'écria Claudine en poussant Marius avant de lui sauter au cou, bientôt imitée par ses parents.

La confusion les firent rester dans le froid brumeux de longues minutes avant que sa mère n'annonce que le dîner allait refroidir et qu'il faudrait un couvert de plus.

*

Rob prit place dans la grande salle à manger. Il fut invité à s'assoir entre son frère et sa soeur en face de ses parents sur une longue table familiale en bois massif. Axelle, la femme de Marius et leur petite Joelle de cinq ans étaient attablés avec eux, de même que Maxime, le mari de Claudine et leurs enfants Jules et Laure, âgés de six et deux ans. Rob n'avait jamais vu la petite dernière de sa soeur. Il balaya la table d'un air perdu tandis que son père déposait une dinde rôtie fumante en son centre.

« Comment ça se fait que vous soyez tous là ? Vous aviez prévu un dîner de famille ?

- Non, répondit Maxime. On dîne souvent tous ensemble ici.

- Je dirais quatre fois par semaine, ou environ un soir sur deux, dit sa mère.

- C'est parce qu'on habite pas loin des uns des autres » ajouta fièrement Claudine.

Robert eut très faim d'un seul coup. Il dîna sans repos au milieu de sa famille de sang. Pourtant il se sentait comme un indigent pour qui l'on aurait préparé un couvert dans l'urgence. Il parvint à porter sa fourchette à la bouche entre les questions dont il était assailli, et ce tandis que ses neveux et nièces intrigués par la venue de cet oncle d'Amérique escaladaient Rob à tour de rôle, se battant pour trôner quelques minutes sur ses genoux. Le tout dans cette maison qu'il ne connaissait pas.

« Tu as de nouvelles photos de ta petite ? demanda sa mère.

- Non, je suis désolé maman, je suis vraiment parti en coup de vent. Je n'y ai pas pensé.

- Les dernières datent de la fin de l'été. Tu m'en enverras d'autres ?

- Bien sûr. Bien qu'elle n'ait pas beaucoup changé en un mois tu sais ...

- Et comment va ta magnifique épouse ?

- Bien, très bien » dit Rob en s'essuyant la bouche.

Un instant très bref, il sentit sa gorge se serrer dangereusement. Et son frère lui resservit du vin.

Lorsque le dîner toucha à sa fin, Rob se leva pour aider à débarrasser dans un embouteillage collectif entre la salle à manger et la cuisine.

La nouvelle maison de ses parents devait faire le double de celle où il avait grandi et était plus moderne. Elle n'avait rien du charme de l'ancienne mais elle était plus fonctionnelle et sa mère y disposait d'une pièce digne de ce nom pour son atelier de couture. Ce déséquilibre lui inspirait de l'aversion. Il avait bâti sa carrière, du moins le pensait-il, en reliant l'âme au fonctionnel. Les deux n'étaient pas incompatibles.

« Oh Robert ! fit soudain sa mère.

- Oui ?

- On a enregistré ton passage à la télévision hier ! Tu as vu le reportage ?

- Ah non, j'avais oublié ça.

- Mais il faut que tu le voies ! Je l'ai montré à toutes mes amies à l'heure du thé ! »

Rob ne savait pas quoi dire. Sa mère était si fière, si enthousiaste.

« CLAUDE !!! hurla-t-elle à son mari à travers la maison. CLAUDE METS LA CASSETTE ! »

La famille Jovignot passa au salon. Chacun se dirigea machinalement à la place qu'il semblait occuper d'ordinaire. Les enfants s'étaient installés des coussins dépareillés par terre sur le tapis. Rob resta planté au seuil de la pièce. Il ne savait pas où était sa place. Il se sentait comme une pièce de trop dans un puzzle qui ne va avec rien. Claudine prit conscience de son embarras, constatant que ce soir, son frère n'était pas une entité immatérielle mais un être de chair et de sang pour qui elle se décala d'un cran sur le canapé marron et tapota l'assise en cuir usé.

« Viens Rob ! Assieds-toi là.

- Tu es bien installé ? demanda Lucie.

- Oui maman, c'est parfait.

- Go ! » fit son père en appuyant sur le magnétoscope.

Rob suspendit son souffle.

Une succession de photos de son enfance apparut à l'écran. Des clichés que Lucie et Claude Jovignot avait accepté de fournir aux journalistes après en avoir demandé la permission à leur fils. Rob n'avait pas pu leur en confier lui-même, car il n'avait emporté là-bas aucune photo de ses vingt premières années. Juste un cliché de ses parents, et du visage angélique de Claudine adolescente à côté Marius en plein éclat de rire. C'était tout ce qu'il avait.

Il regarda les portraits défiler avec des relents de honte. On l'y voyait de sa naissance à ses vingt ans. Enfant solitaire en noir et blanc. Tenant par la main son frère et sa soeur nés trop tard pour jouer avec lui. Souriant au milieu de sa collection de bandes dessinées américaines. Et adolescent. Il se vit grossir chronologiquement, collégien ingrat et appareillé. Les boutons d'acné vinrent en renfort au lycée. Puis sa silhouette d'étudiant s'amincissait progressivement. Il se trouva à peu près potable sur sa dernière photo prise en France peu avant de disparaître de l'autre côté de l'océan.

Une voix masculine commentait les images de son passé :

Robert Jovignot grandit en Bourgogne et fait une partie de son lycée à Paris quand son père, contrôleur de gestion, est muté à la capitale. Puis il revient dans sa région natale. Bon élève, il entame des études de droit à la faculté de Dijon tout en travaillant comme bagagiste dans des hôtels haut-de-gamme de la région, vendangeur et serveur dans des fast-food. C'est en 1992 qu'âgé d'à peine vingt-et-un ans, il découvre Woodburg au hasard d'un voyage d'été où il cumule de petits boulots itinérants. Il décide d'y rester. Après un ultime aller-retour en France, il abandonne ses études et pose son maigre bagage sur cette bourgade de bord de lac.

De vieilles cartes postales de Woodburg et des prises de vue plus récentes de la ville remplacèrent les portraits de Robert à son grand soulagement.

A peine arrivé, il ressuscite le festival de musique d'été, ainsi que la parade de Noël, deux événements qui n'avaient plus cours à Woodburg depuis de nombreuses années. Robert Jovignot s'attaque ensuite à la rénovation d'infrastructures et s'endette pour en racheter des parts. C'est le cas du Cinéma Lumières qui est désormais au coeur des festivals, et du Country Club où il avait commencé comme employé polyvalent en arrivant à Woodburg. Il fait également remplacer à ses frais le mobilier urbain vieillissant : les installations de jeux en plein air pour les enfants, le manège, les bancs publics, et les espaces verts du centre-ville. En 1998, il rachète le Monument Hotel de Woodburg alors en mauvais état après avoir connu ses heures de gloire par le passé. Après plus de deux ans de travaux, il deviendra le très réputé George Palace.

Les images de l'oeuvre de sa vie laissèrent place à celles des prises de vues des rues et de la digue où défilaient des passants.

Tout le monde connait Robert Jovignot dans cette ville de sept mille âmes, déclara la voix off.

La caméra s'arrêta sur une mère de famille et ses trois enfants devant le cabanon de gaufres au bord de l'eau. *J'habite la ville de Samsontown à une quinzaine de kilomètres d'ici au bord du lac,* dit-elle. *Pourtant, comme certains de mes amis, je fais souvent trajet jusqu'à Woodburg pour y passer les journées avec mes enfants lorsqu'il n'y a pas d'école. C'est plus agréable ici. Le bord du lac est charmant avec son petit port, et les maisons sont tellement jolies avec leurs façades colorées.*

Le journaliste enchaîna sur le fait que Robert n'était pas le seul français à s'être établi à Woodburg et Robert vit son copain Jean-Jacques, jeune trentenaire à l'allure faussement négligée, poser devant le restaurant Le Terroir. *Jean-*

Jacques Gontrand, propriétaire du ce restaurant français, est fier de faire rayonner notre gastronomie outre-Atlantique.

Puis un jeune couple fut interpellé à la tombée du soir en sortant du cinéma Lumières. *C'est génial d'avoir un cinéma comme ça ici,* disait la fille en prenant son petit ami à témoin. *Quand j'étais petite, mes parents étaient obligés de me conduire jusqu'à Samsontown pour voir un film. Mais depuis que le cinéma d'ici à été refait, on y va chaque semaine.*

Le reportage se poursuivit dans la boutique de souvenirs We Love Woodburg aux couleurs pastel. L'épaisse silhouette de sa propriétaire déambulait dans l'échoppe. *Je dois la survie de mon commerce au couple Jovignot,* expliquait Jeanne Killmeyer. *Autant à Brooke qui est une décoratrice hors pair qui a donné une seconde vie à cet établissement, qu'à son époux Robert qui lui permet de prospérer été comme hiver. Grace à lui, Woodburg n'est plus une ville morte.*

Marius donna une tape affectueuse sur l'épaule de son frère.

« Tu nous rends fiers.

- Tu parles.

- Je te jure, ça fait tout drôle d'entendre notre nom de famille comme ça à la télé. »

Malgré la reconnaissance des habitants et commerçants, le jeune français de trente-trois ans et sa success story ne font pas l'unanimité. Certains riverains et résidents secondaires se plaignent de la sur-fréquentation de leur petite ville.

Robert ne fut pas surpris de voir Roberta Madden avancer vers la caméra. Son visage de hibou emplit tout l'écran l'espace d'une seconde avant que le cadreur n'ait la bonne idée de dézoomer. Elle présenta une série de photo de son jardin. *Ça*, dit-elle en pointant un gros doigt sur les différents clichés, *ce sont mes fleurs avant et APRÈS les festivals d'été. Elles sont systématiquement piétinées par les jeunes qui viennent voir les concerts. C'est la même chose chaque année. Les gens ne respectent rien. Je suis orthophoniste, mon cabinet se trouve au rez-de-chaussée de mon domicile. Vous trouvez ça agréable, vous, comme entrée en matière, un parterre de fleurs broyées sous les semelles ? Et on me répond que je devrait clôturer mon jardin. Ce n'est pas à moi de payer pour ça. Depuis que ce festival a recommencé, les gens se croient dans un parc d'attraction où tout est permis.*

Le reportage enchaîna sur des images d'archives amateurs que Roberta avait sans doute tournées elle-même et fourni à la télévision française. On y voyait des militants de l'association écologiste Wolf défiler dans les rues de Woodburg pour protester contre le tourisme de masse l'an passé. Un autre fragment de film plus court montrait ces mêmes manifestants en mars dernier paradant au bord du lac juste avant d'être chassés sans ménagement par la police locale.

La parole fut ensuite donnée à Alfred et Caroll Woodehouse. Là non plus, Robert ne s'en étonna pas. Le couple n'en était pas à sa première pétition s'opposant à ses projets. Ils donnaient l'impression d'avoir été interrogés au hasard d'une promenade sur le lac mais Rob n'était pas dupe. *Robert Jovignot a une idée très personnelle de ce qui est bien pour notre ville,* disait Caroll de sa voix rauque. *Ce sont plutôt des idées pour son propre portefeuille, si vous voulez notre avis. Personne ici ne comptait faire de Woodburg une usine à touristes ! Je vous invite d'ailleurs à demander au maire ce qu'il en pense !*

« Quelle bande de cons ceux-là ! soupira Claudine.

- J'espère que tu n'y fais pas attention, Robert, dit Lucie.

- Non maman, j'ai l'habitude, ne t'inquiète pas. C'est toujours les mêmes. »

Dans le poste de télévision apparut le comptoir de la vieille auberge Woodburg Inn, institution du village derrière laquelle se tenaient Laura et Mervyn Saintclair habillés pour l'occasion. Laura avait lissé son carré de cheveux blonds et revêtu son tailleur le plus austère, et Mervyn arborait une cravate trop courte. Il fixait la caméra de son regard bleu lagon innocent. *On en a assez d'entendre que Monsieur Jovignot a sauvé Woodburg de la ruine, c'est totalement faux,* déclarait-il. *Oui,* ajoutait son épouse, *les commerces de la ville n'étaient pas en train de péricliter, c'est plus qu'exagéré ! Notre auberge marchait déjà très bien avant l'ère Jovignot. La vérité, c'est que ce Robert Jovignot est plutôt un profiteur déguisé en bienfaiteur.*

Un mélange d'exclamations indignés retentit dans le salon des Jovignot. Puis vint la captation de la soirée de remise du prix d'homme d'affaires 2004 clôturant le reportage. Sous les sifflement admiratifs de son frère et sa soeur imités par leurs jeunes enfants qui ne savaient pas de quoi il s'agissait, Robert passait par toutes les émotions sur l'écran cathodique.

Mais le Robert de chair et d'os ne prêta pas attention à son double télévisuel. Sur l'enregistrement, c'était Brooke qu'il regardait. Il ne la quittait pas des yeux dès qu'elle était dans le champ de la caméra, cherchant à voir à qui elle parlait.

Il n'eut cependant aucun indice. Il n'eut pour preuve de rien que le visage quasi impassible de son épouse.

*

Claudine et Marius quittèrent les lieux dès la fin de l'enregistrement dans leurs voitures respectives avec leurs familles respectives.

« Je serais bien resté plus tard, mais j'ai une journée terrible demain avec le milieu de saison, avait dit son frère.

- Ça marche alors les affaires pour toi aussi ?

- Pas à l'américaine comme toi mais je ne me plains pas. Les chauffagistes indépendants vivent confortablement dans la région, tu sais pourquoi ! Je vais bientôt devoir m'agrandir.

- Je dis ça comme ça, mais à Woodburg, il fait encore plus froid qu'ici.

- Je sais » avait dit Marius en serrant son frère aîné dans ses bras.

Lucie installa son fils à l'étage dans une chambre neutre qui devait servir à ses petits enfants sans être attribuée à personne en particulier. Des jouets récents étaient soigneusement rangés dans un coffre et sur les étagères les plus basses. Robert examina la bibliothèque. Sa mère y avait rangé toute sa collection de comics et ses figurines étaient prudemment placées en hauteur, hors de portée de petites mains destructrices. Soigneusement plié entre un atlas et une encyclopédie, le drapeau américain qui ornait jadis sa chambre d'adolescent.

Sa mère avait conservé tous les objets qui lui avaient servi de refuge dans sa jeunesse. Tous témoignaient de sa passion pour la pop culture américaine. Il avait entamé cette collection hétéroclite à Paris dont le seul avantage était que l'on y trouvait des boutiques spécialisées en à peu près tout et n'importe quoi. Il l'avait complétée comme il avait pu une fois de retour en Bourgogne pour la dernière année de lycée, mais cela avait été moins concluant.

Il passait des heures devant ces dessins, ces livres de photos, voyageant en pensée hors de sa chambre, à des milliers de miles de la solitude. Il était trop plouc pour s'intégrer à Paris, et plus assez pour ses anciens camarades de jeux en revenant en Bourgogne. Jusqu'à ce qu'il rencontre Brooke, il avait toujours été infiniment seul.

Il ne lui avait pas téléphoné. Il ne lui avait pas dit qu'il le ferait.

Il s'allongea dans le noir sur le lit dur d'une seule place et replia sous sa tête l'oreiller Disney en deux. Le vent de la nuit agitait un sapin devant la fenêtre.

Est-ce que c'est ma faute ? se demandait-il. *Est-ce que j'ai fait quelque chose ou c'est elle qui a déraillé toute seule ?* Il se sentait d'autant plus trahi que lui-même ne s'était jamais imaginé tromper son épouse. L'idée même ne lui était jamais venue à l'esprit. Etait-ce parce qu'elle ressemblait à Farrah Fawcett et lui à un nouveau riche sorti de sa mue de *Gros Robert* et que la chose était inévitable ? Il n'était plus moche, pourtant, et son empire local lui valait quelques battements de cils. Sharon Bishop lui avait adressé des regards appuyés plus d'une fois lorsqu'il était devenu riche. Mais il n'était peut être pas *assez. Pas suffisant pour Brooke.* Lui et Brooke ne venaient pas du même monde. Ils s'étaient croisés au milieu.

Lui avait tourné le dos à une vie modeste, elle, à un train de vie opulent dans les hautes sphères du Texas. Les parents de Brooke étaient cependant revenus dans sa vie peu après la naissance de Georgia. Lorsqu'ils avaient appris de bouche à oreille qu'ils avaient eu une petite-fille, Leonard et Diana Mathis étaient venus à l'improviste de Houston pour voir le bébé. D'abord réticente, Brooke avait accepté de les voir et de leur montrer Georgia tout en gardant ses distances. Rob avait découvert ses beaux-parents à ce moment-là et les trouvait plutôt sympathiques. Il avait été particulièrement séduit par le père de Brooke, impressionnant mastodonte au sourire carnassier. Avocat réputé à la voix tonitruante, il aurait tout aussi bien pu déraciner des arbres à mains nues. Et si Brooke ressemblait énormément à sa mère, Rob avait eu plus de réserves sur Diana Mathis, d'une beauté sèche dont l'amabilité manifeste ne masquait qu'à moitié quelque chose de glacial.

Il savait que Brooke avait ses parents en horreur et refusait systématiquement de parler d'eux, changeant de sujet chaque fois que Robert les évoquait. Elle lui en avait terriblement voulu lorsqu'il lui avait annoncé avoir accepté la proposition de Leonard Mathis d'investir dans RJ Company. A l'époque, cet apport inattendu avait été une occasion en or pour son entreprise comme pour ses affaires personnelles. Brooke attendait leur deuxième enfant et Rob avait besoin de fonds supplémentaires sur un chantier qu'il peinait à financer, les rénovations de l'hôtel ayant mis RJ Company à sec. Quelques semaines plus tard, Brooke avait fait une fausse couche. Elle était restée morose plusieurs semaines après sa sortie de l'hôpital de Samsontown, restant enfermée à la maison, ignorant les appels de ses clients. Puis un matin, elle s'était levée comme si rien de tout cela n'avait jamais eu lieu, et était retournée sur les chantiers de décoration qu'elle avait abandonnés du jour au lendemain.

Est-ce que c'était ça ?

Il avait fini par comprendre qu'il n'aurait jamais dû accepter l'argent de son beau-père. Il aurait aimé revenir en arrière.

Et elle t'aurait trompé quand même.

*

Claude Jovignot était assis sur une chaise pliante qui paraissait minuscule pour sa grande taille, le fil de sa canne à pêche immergée dans l'eau calme, presque stagnante du canal, son visage émacié sans expression. Robert avait trouvé une pierre où s'installer et tous deux regardaient l'eau verte en silence où s'étalait le reflet des nuages. Les Jovignot père et fils n'avaient jamais beaucoup communiqué entre eux. Ce jour-là, malgré la visite surprise de l'enfant prodigue, rien ne changeait. De temps en temps, des promeneurs passaient avec leurs chiens. Claude les saluait par leur prénoms et reprenait son absence d'activité.

Un léger coup de vent les décoiffa. En haut, les nuages s'écartèrent, et un rayon d'or illumina le paysage. Rob leva les yeux. Il était né et avait grandi ici. Et il n'avait jamais rien remarqué. Un instant, il eut le souffle coupé par la beauté fulgurante de ce qui l'entourait. Cela paraissait si simple, pourtant. La terre, les prairies, les haies vertes, l'eau placide, les vieilles pierres des tours sans âge perchées sur la colline.

Comment j'ai pu être aussi con ?

Il fut saisi d'un frisson. C'est ici que j'aurais dû tout construire. Comment l'ingrat qu'il était avait pu ne rien voir ? C'était sous mes yeux, là ! Pourquoi aller faire la même chose à six mille kilomètres ?

Claude ne perçut rien de l'agitation intérieure de son fils. Et si ce n'était pas trop tard

? Repartir de zéro. Tout recommencer ici. Il songea au château en ruines devant lequel il s'était arrêté la veille en chemin. Il y a tellement à faire ici. Il y a même des américains qui viennent s'installer ici. George Hansen lui-même était profondément amoureux de la région. Pourquoi ce serait à moi de faire le déplacement ? Pourquoi j'ai fait tout ça ? Pour être cocu à la fin ? La réponse est ici. Je vais rester. Je n'aurais jamais dû m'en aller.

Il n'est pas trop tard. Je suis encore jeune.

Il souriait, radieux, l'air dément.

Il songea à ce qu'il allait laisser derrière lui et ses idées d'évasion trébuchèrent sur Georgia. Ma fille … Comment j'ai pu un seul instant oublier ma fille ? Quel connard je suis, de A à Z.

Il n'y avait pas que son enfant qu'il avait envisagé d'abandonner durant ces dernières minutes. Il y avait aussi tous ses employés qui comptaient sur lui. Tout ce qu'il avait construit en suant sang et eau.

Il était temps de partir. Il serra son père dans ses bras et regagna sa voiture de location garée près de l'écluse. Il démarra en trombe en direction de Paris.

Une dernière chose l'avait fait revenir au sens des réalités. Lorsqu'il l'avait rencontrée, il avait décidé qu'il ferait sa vie avec Brooke. Quoi qu'il arrive. Et il ne comptait pas changer de plan.

Rob roulait de nuit depuis bientôt trois heures. Il aurait besoin de s'arrêter avant d'arriver à Woodburg. Il était épuisé par le vol du retour, le décalage horaire et la conduite de nuit.

Il aperçut une station d'essence sur le bord d'une petite route serpentant le long d'une forêt dense, à deux kilomètres du dernier village traversé.

« Parfait. »

Il n'était plus qu'à une heure de route de la maison. Et de son lit qui l'attendait.

Le modeste bâtiment de bois arborait une signalétique criarde hurlant en couleurs de néons que l'établissement était ouvert vingt-quatre heures sur vingt-quatre tous les jours de l'année.

Rob mit de l'essence dans le réservoir en baillant copieusement, puis se dirigea vers les toilettes de la boutique. L'endroit était vétuste mais propre. Après s'être longuement soulagé, il se passa de l'eau sur le visage et regagna le comptoir. Il prit une canette de soda pour se maintenir éveillé l'heure de route restante qu'il posa près de la caisse et attendit que quelqu'un se matérialise afin de payer et partir.

Il attendit, tapa un air de piano sur des touches invisibles près de sa canette. Il s'accouda dos au comptoir, s'étira en levant les bras et soudain fronça les sourcils. Un vieil homme vêtu d'une large salopette passait la serpillère dans les rayons du fond. Sous l'éclairage blafard, l'homme ressemblait à George Hansen. La corpulence était identique, le vieil homme avait le même visage ovale, le regard enfoncé sous d'épais sourcils, la même forme de nez arrondi. *C'est dingue ...* Rob cessa de s'étirer et s'affaissa à moitié, fasciné.

Ce n'était pas qu'une simple ressemblance. On aurait dit que cet homme *était* George Hansen. Bien que la chose fut impossible, que son mentor fut décédé depuis trois ans et qu'il eut été un brillant homme d'affaires, bien qu'à aucun moment personne n'ait un souvenir de lui une cigarette tordue coincée derrière l'oreille, que ce ne pouvait être lui, en aucun cas, Rob sentit néanmoins son coeur s'accélérer. *Il lui ressemble tellement.*

« Bonsoir. »

Rob se retourna, surpris. Il n'avait pas vu le jeune employé reprendre son poste derrière la caisse. Il se frotta les yeux et paya en réprimant un bâillement.

Lorsqu'il mit la main sur la porte, prêt à ressortir, il laissa la porte se refermer de l'intérieur. Les cloches tintèrent pour rien. A pas discrets, Rob s'approcha de l'homme à la serpillère qui lui tournait le dos. Il avait *besoin* de voir son visage. Il savait que ce n'était pas George. Mais il voulait voir son double de plus près.

L'employé l'ignorait, concentré à sa tâche les yeux absents, le dos voûté dans sa chemise à carreaux brunâtre aux manches retroussées. Rob se sentait con. Il s'éclaircit la gorge.

« Excusez-moi ... »

Le vieil homme se retourna, son visage était à quelques centimètres du sien. Il eut un rictus en forme de sourire étrange, les dents écartés, qui n'avaient rien du parfait sourire américain de George Hansen. Robert recula d'un pas malgré lui. Il eut désormais la certitude absolue, ressemblance frappante ou non, qu'il ne s'agissait pas de son bienfaiteur revenu d'entre les morts pour nettoyer le carrelage d'une station service.

« Pardon, bredouilla bêtement Rob en se grattant la tête. Je ... je vous ai pris pour quelqu'un d'autre et ... et voilà ... bonsoir. »

Il se retourna pour s'en aller quand s'éleva une voix rocailleuse ravagée par une vie de tabagisme.

« Hey ! Petit ! Tu veux faire un voeu ? »

Incrédule, Rob fit face au vieil homme qui avait cessé son ménage et se tenait désormais accoudé au sommet de son manche à balai en bois usé.

« Je vous demande pardon ?

-   Est-ce que tu veux faire un voeu ? »

Rob soupira. *Qu'est-ce que c'est que ce clown, j'aurais dû m'en douter ...* Epuisé, de guerre lasse, Rob lui répondit ce qui lui vint à l'esprit histoire de dire quelque chose.

« J'aimerais bien que ma femme arrête de me tromper.

- Bien, » répondit le vieillard en reprenant son nettoyage, comme si Rob n'avait jamais existé.

Puis Rob regagna sa Lincoln.

*

Peu après quatre heures du matin, Robert traversa Woodburg endormie. Il avait au coeur un curieux mélange de soulagement et de mélancolie.

Il passa devant le cinéma Lumières éteint, contourna la place verdoyante et son kiosque éclairé de guirlandes et, avant de s'engager dans l'avenue menant aux hauteurs où commençait la forêt, lança un regard tout aussi fier qu'il fut amer au George Palace.

De l'extérieur, les lumières étaient éteintes. Il entra chez lui et enleva ses chaussures. Il se rendit dans la chambre mauve de Georgia sur la pointe des pieds. Elle dormait d'un sommeil paisible, la tête tournée vers la porte. On aurait cru qu'elle s'était endormie en l'attendant. Il embrassa son front tiède et se dirigea vers sa chambre.

Brooke aussi dormait, les cheveux étalés sur son oreiller, de son côté du lit comme s'il n'était jamais parti. Il donna à sa femme le même baiser qu'à Georgia et se glissa dans le lit en prenant garde à ne pas la réveiller. Alors qu'il posait la tête sur son oreiller, il entendit sa femme prononcer son nom dans son sommeil.

« C'est moi, murmura-t-il simplement. Dors. Je suis rentré. »

Il ferma les yeux et fit de même.

*

Au même moment, à quelques centaines de kilomètres de là, à Chicago, ce fut Russel Brown qui sortit de son lit en faisant attention à ne pas réveiller sa femme. Kristen laissa échapper un léger grognement, changea de position sur le matelas, mais resta endormie.

La haute silhouette de Russel traversa l'appartement de tout son long. Le clair de lune zébrait la moquette du dix-huitième étage au travers des stores baissés. Il se rendit dans la cuisine et se servit un verre d'eau glacée.

Russel dormait mal depuis quelques temps. Parfois même, il ne dormait pas du tout. Le manque de repos lui avait donné le teint olivâtre et des cernes rouge qui s'accentuaient de jour en jour.

Le sommeil avait d'abord commencé à lui manquer à cause de Brooke Jovignot. Et ses nuits avaient achevé de se dégrader lorsque Kristen, sur simple intuition et sans la moindre preuve avait tout deviné. Elle avait alors prêché le vrai pour avoir le vrai et Russel avait dû avouer. Il ne savait pas ce qui lui avait pris, il n'avait jamais douté de la finesse d'esprit de son épouse et avait tout de même bêtement cru qu'il allait la contourner de sa propre volonté.

Depuis, il savait son mariage en sursis. Kristen n'exprimait rien, mais il savait qu'elle réfléchissait, et qu'elle lui en voulait. Elle le regardait parfois comme un insecte trop gros et trop fort pour être écrasé, un nuisible dont il fallait s'accommoder faute de s'en débarrasser. Lui s'évertuait à la retenir par tous les moyens. Il ne voulait pas qu'elle s'en aille. Il ne savait pas si ses efforts seraient vains ou non. En attendant le verdict, il lui fallait prendre des cachets pour ses insomnies.

Russel se servit un deuxième verre d'eau qu'il avala d'un trait et reprit son souffle. Il n'était vêtu que d'un short en coton et avait tout de même trop chaud.

Il avait pris sa décision plus tôt dans la journée, peu après avoir quitté son agence. Il allait annuler son prochain séminaire prévu au George Palace, et ne mettrait plus les pieds à Woodburg sans Kristen. Il savait qu'il aurait dû annuler ce séminaire depuis plusieurs mois déjà. Depuis que Kristen savait tout. Il avait repoussé l'échéance jusqu'ici, cependant. Il avait attendu d'avoir le courage de le faire. Le courage de ne plus revoir Brooke. Ce serait douloureux, mais dès demain, il le ferait. A la première heure, il ferait téléphoner son assistante à Stella Wings avec un prétexte pour annuler la réservation.

Il reposa le verre près de l'évier. Il avait un peu de mal à respirer. Une sensation d'oppression sur le torse. *Merde* ... Il commença à transpirer, et sentit ses jambes s'engourdir, sa bouche s'emplir d'un goût métallique. La crise d'angoisse montait. Il n'en était plus à sa première. Il se redressa bien droit, s'efforça de respirer lentement par le ventre, effectuant des mouvements circulaires de la tête, en attendant que cela passe. *Compte jusque à cent et ce sera terminé : un ... deux ...*

Il interrompit brusquement son exercice de relaxation lorsqu'il aperçut quelque chose d'inhabituel au plafond.

Une épaisse forme noire ondulait au-dessus de lui dans l'obscurité de la cuisine. Sa respiration s'accéléra. Cela n'avait rien de logique. Il ne songea pas à allumer l'interrupteur, trop atterré pour bouger. Il clignait désespérément des yeux pour que la chose mouvante disparaisse du plafond. Il faillit perdre l'équilibre lorsqu'il comprit ce que c'était.

Un long serpent noir. Le corps puissant du reptile se déliait au-dessus de sa tête, luisant dans la pénombre.

Cela ne se pouvait pas. C'était forcément une hallucination. Les somnifères pouvaient avoir des effets secondaires en ce sens si l'on se relevait la nuit, le médecin l'avait prévenu. *Ces foutues pilules*. Il s'administra une forte gifle pour se réveiller. Il n'eut pour résultat que de se faire mal tout seul. Car le serpent était toujours là. Et il descendait du plafond.

Russel ouvrit la bouche pour crier. Il eut le temps de sortir un son très bref. Le serpent accéléra sa descente en torpille et glissa la tête dans sa bouche ouverte de Russel.

Il s'étouffait. C'était réel. Bien réel. Et le reptile se glissa plus loin dans sa gorge. Il entrait dans son corps.

Russel se débattit, les yeux exorbités, la respiration coupée. Il agrippa le corps du serpent à deux mains, essaya de tirer pour l'extraire de la bouche. Le reptile lui glissait des mains. Terrorisé, Russel se précipita vers le tiroir à couteaux, éjectant sur le carrelage tous les ustensiles du plan de travail. Un concert dissonant de métaux éclata au sol. Russel s'empara du hachoir à viande. Il allait bientôt étouffer. Dans un élan de rage, il tenta de sectionner l'animal.

Kristen courut jusqu'à la cuisine en chemine de nuit, affolée par le bruit.

« Russel ? Qu'est-que ... »

Dans le noir, debout au milieu de la cuisine, son mari se frappait la poitrine avec un hachoir. Il semblait hurler comme un possédé sans qu'aucun son ne sorte, la bouche pourtant si grande ouverte qu'elle en était déformée. Kristen hurla à son tour. Quelque chose obstruait la bouche torturée de son mari, comme s'il tentait d'avaler une balle de tennis noire, luisante et visqueuse.

Elle se précipita sur lui pour lui arracher le hachoir mais Russel le lâcha de lui-même en s'affalant au sol dans une flaque de sang. Elle tenta de le secouer, hurlant en vain son nom.

Mais les yeux de Russel s'étaient déjà éteints.

PARTIE II. SPEAK OF THE DEVIL
CHAPITRE 1

Rob se gara devant RJ Company à la même heure que chaque matin. Il n'avait pas récupéré son retard de sommeil mais ne se sentait pas fatigué, juste un peu chiffonné. Ce matin, il allait mieux. Les quelques minutes qui s'étaient écoulées juste après le réveil avait eu quelque chose de gênant. Brooke l'avait dévisagé sans rien dire, à l'affut d'une réaction, d'une annonce, de quelque chose qui porterait à conséquence. Elle avait compris, il en était sûr, pourquoi il était parti et revenu. Sans doute s'était-elle attendu à ce qu'il parte à nouveau.

Il ressentit une forme de délivrance lorsqu'il lui annonça qu'il partait au travail. Il l'avait embrassée avant de quitter la maison.

Juliana Fobert l'accueillit dès qu'il franchit la porte. Il ne l'avait pas prévenue de son retour, et son assistante pensait qu'il allait rester en France au moins deux ou trois jours le plus. Mais Robert était déjà de retour, l'air fatigué mais le visage avenant. Juliana le regardait comme s'il venait de sortir d'un asile.

« Vous êtes revenu vite ... Votre voyage s'est bien passé ?

- Oui très bien, dit-il en retirant son manteau.

- Vous avez pu voir le fournisseur de pierres ?

- Oui, j'ai vu le patron, Patrick Jouvier. Il m'a fait visiter sa carrière et on a réglé les questions du transport. Tout est en ordre. »

Juliana aurait voulu lui demander s'il en avait profité pour rendre visite à sa famille mais craignit qu'il la trouve intrusive.

« Du nouveau en mon absence ?

- Rien d'important, dit Juliana. Tout est sur votre bureau. La seule chose dont il ne faudra pas tarder à parler, c'est le tournage de ce clip à l'hôtel. C'est bientôt.

- Entendu. Merci Juliana. »

*

A l'heure du déjeuner, Rob prit sa voiture. Il se gara quelques minutes plus tard devant l'immense villa des Hansen. Il sonna à la porte. Un aide-soignant lui ouvrit et l'invita à entrer, et Rob se rendit directement dans la chambre du rez-de-chaussée, jadis une chambre d'invités qu'il avait occupé à plusieurs reprises lorsqu'il était jeune. Depuis quelques temps, c'était devenu une chambre médicalisée avec un lit d'hôpital au milieu. Antonia Hansen était réveillée. Son état était stable, mais elle avait les traits creusés de solitude et de maladie. Elle qui avait si bien conservé son apparence malgré l'âge avait vieilli de vingt ans en l'espace de trois. Robert embrassa sa main desséchée.

« Où étais-tu passé ? Je ne te voyais plus.

- J'ai dû faire un aller-retour en France pour le travail. Je suis désolée de ne pas avoir prévenu.

- Ce n'est rien. Comment vas-tu ?

- Bien. J'ai vu mes parents.

- Oh c'est vrai !? Ils devaient être tellement heureux de te voir. Tu devrais y aller plus souvent.

- Je sais … Mais je n'ai pas le temps.

- Les jeunes n'ont jamais le temps de rien.

- C'est vrai. Mais vous voyez, je trouve du temps pour vous.

- J'ai beaucoup de chance alors. »

Rob était désormais la seule personne à rendre visite à Antonia Hansen. Et il prenait en charge à lui seul ses frais médicaux. Les neveux d'Antonia, Shane et Tobias Hansen, avaient cessé de venir de Boston pour passer leurs vacances ici. Ils avaient commencé à déserter Woodburg depuis la mort de George, puis complètement depuis que leur tante avait émis le souhait de finir ses jours dans cette maison après son attaque.

Rob estimait qu'Antonia ne perdrait rien à se passer de la visite des deux frères. Shane et Tobias Hansen n'avait jamais porté Robert dans leur coeur, n'avaient jamais manqué de le montrer dès lors que leur oncle George avait pris le jeune français sous son aile.

Après avoir pris connaissance du testament de leur oncle, les deux frères avaient engagé un procès contre Robert en invoquant un abus de confiance, l'accusant de spolier leur héritage. Si George Hansen qui n'avait jamais eu d'enfants avait été généreux sur les legs destinés à ses neveux, il avait légué à Robert toutes ses parts dans le Country Club de Woodburg, quelques pièces d'antiquaires et sa collection de vieux fusils.

Spencer Billings, l'avocat de Rob, avait fait pencher la justice en sa faveur. A l'issue du procès, Rob avait proposé aux perdants de leur restituer les objets de valeur et les armes, mais les neveux Hansen avaient fait usage d'une expression fleurie lui indiquant dans quel orifice et à quelle profondeur Robert pouvait se mettre tout cela.

« Tu reviens bientôt ? demanda Antonia alors qu'il se relevait.

- Demain, promis. J'essayerai de venir avec Brooke si elle est libre.

- Avec plaisir. A demain mon grand. »

*

Il revint après le dernier service de midi du George Place pour un déjeuner tardif avec Natale Parlante et Ralph Hayes dans la grande salle vide. Le chef cuisinier et le directeur financier de l'hôtel n'avaient jamais semblé s'entendre. Robert avait toujours senti que ces deux hommes, sans avoir d'aversion manifeste l'un pour l'autre, avaient tendance à s'éviter lorsqu'ils le pouvaient. Robert soupçonnait depuis le début qu'il s'agissait d'une bataille d'égo, à qui avait le plus de pouvoir, d'influence en ces lieux.

Mais étrangement, les deux hommes avaient une attitude connivente ce jour-là. Robert s'en réjouit avant de comprendre pourquoi. Le point commun des deux rivaux supposés en cet instant était qu'ils semblaient regarder leur patron avec un soupçon de pitié.

*

Pendant ce temps, l'activité du début d'après-midi reprenait son cours au Country Club. Dans son bureau aux tons clairs, le directeur releva le store de bois offrant une vue sur le parc.

Il râla lorsque le téléphone sonna. C'était son épouse. Il s'assit lourdement sur son fauteuil de cuir qui commençait à souffrir de son embonpoint.

« Oui chérie.

- Aidan ! rugit Barbara, furieuse. Qu'est ce que tu fabriques ?

- Hein ? Qu'est-ce que je fabrique au boulot d'après toi ?

- J'ai essayé de t'appeler deux fois ce matin !

- Je ne devais pas être dans mon bureau alors. Il y a eu une urgence ? Les petits vont bien ?

- Oui oui tout va bien. Non rien d'urgent. Je devais aller à Samsontown à l'heure du déjeuner et je voulais savoir si tu avais besoin de quelque chose. Maintenant c'est trop tard, je suis rentrée.

- Ne t'inquiète pas, je n'avais besoin de rien. Tout va bien.

- Non, tout ne va pas bien ! La prochaine fois tu demandes au standard de se bouger le cul pour te passer le téléphone, même s'il faut aller te récupérer dans un arbre au fond du parc ! »

Exaspéré, Aidan Norton se leva d'un bond. Barbara avait le sang plus chaud que le sien, en principe. Mais ce fut lui qui cria le plus fort cette fois-ci.

« Tu me gonfles à la fin ! Qu'est-ce que tu t'imagines, Barbara !? Tu crois que je passe ma journée assis tranquillement derrière mon bureau à faire des parties de cartes avec des copains !? Ah mais j'aimerais bien ! J'ai une tonne de trucs à gérer toute la journée aux quatre coins du parc et des bâtiments ! Il y a toujours un machin à réparer, un client qui se plaint pour rien, le personnel à gérer, des travaux à superviser, des rendez-vous avec untel, où je suis interrompu tout le temps parce qu'il y a toujours une merde sortie de nulle part qu'on me chie directement sur le crâne ! Je travaille comme un dingue ! Ce job c'est pas la partie de rigolade que tu t'imagines. Tu n'as qu'à demander à mon père ! Pourquoi tu crois qu'il est si content de m'avoir cédé sa place ? Il a jamais été aussi heureux ! Tu vois son sourire épanoui ? C'est parce qu'il se repose après m'avoir filé la patate chaude. »

Barbara ne répondit rien, visiblement soufflée par l'éruption de colère inhabituelle de son époux.

« Bon, je raccroche, à ce soir » fit-il, plus calme, joignant le geste à la parole.

Il s'apprêta à se rassoir pour examiner les bilans qui attendaient sa relecture depuis la veille et entendit des voix s'élever vers l'accueil.

« Putain c'est quoi ce cirque encore ! »

Roberta Madden était en train de crier sur l'hôte d'accueil qui avait contourné le comptoir pour tenter de la guider le plus poliment possible vers la sortie. *Comment elle est entrée dans l'enceinte du Club sans badge d'accès, celle-là ?* Il frotta son visage fatigué d'une main potelée. *Et un problème supplémentaire à régler.*

« Ah vous voilà ! l'apostropha-t-elle. Ce jeune homme refusait de me laisser venir vous voir !

- En quoi puis-je vous aider Madame ? » demanda-t-il d'un ton glacial.

Deux clientes se dirigeant vers la sortie ralentirent considérablement le pas, curieuses de l'esclandre qu'elles allaient pouvoir relater plus tard. Aidan ne pouvait pas se permettre de leur demander de circuler. Roberta Madden s'approcha de lui. Elle lui arrivait à peine en-dessous de l'épaule. L'orthophoniste prit soin de bien articuler, comme elle l'apprenait à ses patients, en parlant fort pour que tout le monde l'entende.

« Je viens de la part des Waterfalls, ce sont des amis. »

Aidan s'étonna. Il lui semblait avoir vu Arthur et Rose Waterfalls se diriger vers les vestiaires après le déjeuner.

« Je crois bien qu'ils sont ici. S'ils ont quelque chose à me dire ils savent où me trouver. Ils n'ont pas besoin de vous envoyer en mission.

- Ce n'est pas la question !

- Bon, s'impatienta Aidan. Dites-moi ce qu'il se passe, j'ai du travail.

- Il se passe que vous avez décidé de faire ces travaux d'expansion du Club.

- En effet. Tout est en règle. On a le droit. Maintenant. C'est la RJ Company qui s'en occupe.

- Ça ne se passera pas comme ça ! J'ai signé la pétition des Woodehouse !

- Ils en ont fait une nouvelle ?

- Non. Mais vous n'avez pas le droit !!! »

Roberta Madden perdait ses nerfs. Une veine battait sur son front trop grand. Trois autres membres du Club épiaient la conversation depuis le bar.

« D'accord, Madame. Merci de m'avoir fait part de votre avis. C'est toujours intéressant de recueillir les opinions des uns et des autres.

- Vous n'êtes vraiment pas digne de votre père, persiffla-t-elle. Il n'aurait jamais dû vous laisser sa place.

- Qu'est-ce que vous en savez ? Vous n'êtes pas membre du club.

- Pauvre imbécile ».

Elle tourna les talons et tomba nez à nez sur Gordon Dwight serviette sur les épaules, rendu écarlate par sa séance de cardio. Elle le pointa du doigt, manquant de griffer son nez épais.

« Et vous ! Tout est de votre faute. Vous avez été le pire maire que cette ville ait connu. J'espère que vous profitez bien de votre retraite et que vous avez les artères bien bouchées ! »

Elle sortit la tête haute, fière de son bon mot bien articulé, tandis que Gordon adressa un regard interrogateur à Aidan qui haussa les épaules.

Andrea Perez n'avait rien entendu du scandale de Roberta Madden au rez-de-chaussée. Il ne savait même pas de qui il s'agissait. Il était en train de malaxer la peau flasque de Rose Waterfalls, jadis mannequin dans les années soixante, dans la salle de massage feutrée.

Andrea travaillait au Country Club depuis trois ans. Aidan Norton l'avait embauché peu après avoir repris la direction du Club. Il faisait le trajet chaque matin depuis Samsontown où il louait un petit appartement au sixième étage d'un immeuble sans ascenseur. Sa petite amie venait dormir chez lui quand elle n'était pas chez ses parents quelques rues plus loin. Il mettait chaque centime de côté, et ne concédait à piocher dans ses économies que lorsque sa petite amie se plaignait de ce qu'ils ne sortaient pas assez. A part ces écarts obligés, il épargnait tout ce qu'il pouvait. Il avait du succès comme masseur, et les pourboires qu'il recevait chaque jour en étaient venus à dépasser son maigre salaire au fil du temps. Il y avait pourtant un autre masseur dans le Club, mais c'était Andrea que les habitués réclamaient le plus souvent.

Malgré ce succès, il ne comptait pas faire ce métier toute sa vie. Il n'avait que vingt-quatre ans et rêvait d'entreprendre quelque chose de plus grand. Il n'avait pas pu s'offrir les études de commerce dont il rêvait mais savait qu'il pourrait sortir son épingle du jeu s'il était patient et méthodique. Robert Jovignot était un parfait exemple de réussite à ses yeux. Lui aussi était parti de zéro. En attendant, Andrea réfléchissait, lisait les ouvrages qu'il achetait d'occasion à des étudiants. Peut-être un jour ouvrirait-il son propre Club.

Tandis que Rose Waterfalls se prélassait sous les mains d'Andrea, son mari commandait un jus de fruits pressé au bar. Il paraissait bien plus grand qu'il ne l'était, perché sur un tabouret rembourré du comptoir. Aidan vint à sa rencontre, il l'avait cherché à travers tout le bâtiment et à l'extérieur. Il était essoufflé, ses boucles gluantes de sueur. De la buée s'était formée sur ses lunettes.

« Aidan ? fit Arthur Waterfalls. Vous allez bien ?

- Oui, fit le directeur en reprenant son souffle. C'est vous que je cherchais.

- Ah oui ? Que se passe-t-il ? »

Aidan chercha ses mots. Il n'était pas question de se montrer désagréable envers les Waterfalls qui étaient membres depuis de longues années.

« J'ai reçu la visite, assez virulente je dois dire, d'une certaine Roberta Madden. Je ne sais pas si vous la connaissez. En tout cas, elle m'a dit qu'elle venait de votre part, et elle était très remontée. »

L'ancien avocat d'affaires eut un rire amusé et passa ses doigts massifs sur sa moustache impeccablement taillée.

« Ah oui, répondit le retraité, détendu. Laissez courir, c'est rien.

- Ah bon ?

- Mais oui, ne vous inquiétez pas. Cette femme est une plaie. Elle est persuadée d'être la meilleure copine de ma femme qui lui dit bonjour quand elles se croisent. Il n'y a aucun souci.

- Bon, me voilà rassuré. »

Arthur Waterfalls but une longue gorgée de son jus de fruits.

« Au fait Aidan, vous n'avez pas vu Brooke Jovignot ?

- Pardon ?

- Je vous demande si vous avez aperçu Brooke Jovignot.

- Non, répondit Aidan, gêné par l'insistance manifeste de son interlocuteur. Je ne pense pas l'avoir croisée aujourd'hui. »

Le vieil homme sourit, et reposa son verre vide sur le comptoir.

« Je connais bien son père, Leonard Mathis. C'est un bon ami.

- Vraiment ? »

Aidan ne savait que répondre. Il voulait en finir au plus vite.

« Bien, si je ne vous revois pas, je vous souhaite une bonne fin de journée, Monsieur Waterfalls.

- A demain Aidan ».

Le directeur s'éloigna rapidement.

*

Juliana annonça à Robert que son avocat était arrivé. C'était son dernier rendez-vous de la journée et le soir était tombé depuis longtemps. Spencer Billings entra dans son bureau sans frapper.

« Ça va mon pote ?

- Ouais ouais. »

Dès la fin d'après-midi, le décalage horaire avait finalement eu raison de l'humeur de Rob qui ne pouvait cependant se permettre d'annuler ses rendez-vous. La déprime l'avait submergé en même temps que la fatigue. Spencer vit rapidement que son ami n'était pas dans son assiette.

« Rob, dit-il d'une voix sérieuse. Viens, on va prendre l'air. »

« On est pas mieux là ? dit son avocat une fois qu'ils se furent assis au bar du Janis Pub rempli de jeunes gens encore insouciants sortis du travail.

- Oui, c'était une bonne idée. Tu nous commandes des bières ?

- C'est comme si c'était fait. RAY !! cria Spencer plus fort que nécessaire.

- Je suis pas sourd, fit le gérant. Ça va Rob ? T'as l'air fatigué.

- Ça va, c'est le décalage horaire, je suis allé en France … Et toi Ray ? Tout va bien mon vieux ?

- Les affaires marchent, et moi avec. Qu'est-ce que que je vous offre ? La première est pour moi.

\- Alors ce sera la bière la plus chère, fit Spencer. Après on te prendra de l'eau du robinet. Et mets nous une grosse portion de frites, s'il te plait. »

« Qu'est-ce qui va pas ? » demanda Spencer une fois qu'ils furent servis.

Rob regardait son verre sans répondre, les yeux tristes.

« Rob, tu sais que tu peux tout me dire. »

Robert le savait. Spencer Billings était son meilleur ami, et le parrain de sa fille. Spencer avait le même âge que lui, et il avait été le seul avocat que Rob avait pu se payer lorsqu'il avait lancé RJ Company. Spencer venait alors tout juste d'être diplômé et de se lancer à son compte. Il ne l'avait plus jamais lâché. C'était chez la famille de Spencer à Samsontown que les Jovignot passaient leurs Thanksgiving depuis le décès de George Hansen, et que les parents de Kristen Ward eurent déserté Woodburg au profit de la Floride.

« Brooke m'a trompé, lâcha Rob. Je ne sais pas avec qui. Mais elle m'a trompé.

\- Merde, mon pauvre … »

Sans mots réconfortants à l'esprit, Spencer lui adressa une tape affectueuse sur l'épaule.

« Tu ne sais vraiment rien ? demanda-t-il. Tu n'as pas une idée ? Même vague ?

- Non. »

Rob lâcha un soupir interminable, puis d'une seule traite, relata à Spencer ce qu'il avait entendu dans les toilettes des femmes le soir de la remise de son prix, et ce qu'il trouvé ensuite dans le téléphone de sa femme.

« Sale histoire, conclut Spencer.

- Tu l'as dit ... Sale histoire ... »

Rob termina sa deuxième bière et reposa le verre vide qu'il fit tourner entre ses mains. Il cessa ses réflexions et figea ses doigts.

« Russel, dit-il. Il y a une question que j'aimerais te poser, et s'il te plaît, réponds-moi en toute honnêteté.

- Bien sûr, tout ce que tu veux.

- Est-ce que tu t'es tapé ma femme ? »

Spencer n'était sûrement pas le style de Brooke, avec sa grande carcasse maigre et ses tâches de rousseur. Pour Russel Brown en revanche, l'idée d'une attirance irrésistible avait plus de sens, rien qu'à entendre la vieille Lorenza Page en parler. Spencer mit quelques secondes à encaisser la violence de la question de son ami.

« Non » finit-il par répondre.

Mais j'aurais bien aimé, ajouta-t-il en pensée.

*

Natale Parlante rangea son tablier. Il était près de minuit. Il était harassé. Il sortit sur la terrasse déserte donnant sur le lac et savoura le calme du soir. L'air était trop froid pour ses manches courtes, mais il n'avait pas envie de remonter dans son appartement chercher un vêtement plus chaud, il était resté enfermé toute la journée et avait besoin d'air. Et d'être seul.

Il alluma une cigarette et eut une mimique agacée lorsqu'il aperçut Stella Wings marcher vers lui depuis l'autre bout de la terrasse. Il souffla sa fumée à travers le nez immense qui accentuait son visage anguleux et robuste. Il était fatigué d'avance, se demandait quelle vacherie elle allait encore lui cracher à la figure. Il avait eut une brève aventure avec elle deux ans plus tôt, et, victime de son succès, il avait dû se débarrasser d'elle pour une autre. Dès lors, Stella n'avait cessé de se montrer infecte dès qu'elle se trouvait une seconde seule face à lui. Il savait qu'il ne pouvait pas lui en vouloir. Les filles éconduites, c'était sa vie, malgré lui.

Aussi fût-il surpris de la voir s'approcher le visage avenant, le sourire dévoilant ses dents du bonheur dépourvu de malice, avec un papier à la main. Il se méfia, se demanda où était le piège.

« Tiens, dit-elle en lui tendant le papier. Lis.

- Merci. »

Natale Parlante, Etoile Montante : la gastronomie italienne à son apogée, titrait l'article. Oubliant la présence de sa collègue, il dévora l'article élogieux de bout en bout.

« Je peux le garder ?

- Bien sûr. Bonne nuit Natale.

- Bonne nuit Stella … Et merci. »

Le jeune femme s'éloigna. Il aspira comme un fou sur sa cigarette, puis l'écrasa dans le cendrier en bronze. Il traversa à la hâte les galeries du George Palace jusqu'au bureau administratif déserté pour la nuit. Il alluma une lampe et composa un numéro de téléphone napolitain. On lui répondit au bout de très nombreuses sonneries.

« Maman ?

- Natale ! C'est toi !? Pourquoi tu n'appelles jamais ! Qu'est-ce qu'il y a ? Tout va bien ?

- Oui maman, oui, calme-toi. Excuse-moi de ne pas t'appeler assez. Tout va bien. »

Il entendit sa mère hurler les noms de ses trois sœurs qu'il entendit se précipiter vers le combiné. Elles se mirent à lui parler toutes en même temps. N'importe qui d'autre aurait eu du mal à suivre le fil de la conversation mais lui avait l'habitude. Il leur traduisit l'article à haute voix.

« Je suis si fière de toi mon chéri, dit sa mère à nouveau seule au téléphone. Tu me manques tellement.

- Toi aussi maman. Vous me manquez toutes.

- Je prie pour toi tous les jours, tu sais.

- Merci maman.

- J'espère que tu te coiffes proprement là-bas, que tes belles boucles sont bien peignées, avec la raie au milieu, c'est comme ça que tu es beau.

- Oui maman, oui … » souffla-t-il en passant une main sur son crâne tondu.

Sans savoir pourquoi, il se sentit submergé. Il se hâta de raccrocher et se mit à pleurer.

CHAPITRE 2

Les courtes jambes de Juliana Fobert lui permettaient tout juste de trotter à la hauteur de son patron dans la montée raide surplombant le Country Club. Elle était rouge et transpirante lorsqu'ils parvinrent au chantier. Rob était dans le même état. Il salua l'architecte d'un filet de voix. Matthew Norbert leur tendit chacun un casque, bien qu'il n'y eut ne serait-ce que deux briques du prochain bâtiment empilées l'une sur l'autre.

« Question de sécurité, on est jamais trop prudent, dit-il.

- Alors on en est où ?

- On a démarré ce matin. Si tout va bien, tout sera terminé pour le printemps.

- Ça me va, dit Rob. Je compte sur vous.

- Pas de problème, dit Matthew. Comment va cette chère Brooke à part ça ? »

La question avait figé Rob, contrarié de ce que son épouse soit brutalement projetée dans la conversation. Pourtant la question n'avait rien d'anormal. *C'est moi qui vais avoir l'air bizarre, là.* Juliana venait de saisir son malaise et eut une petite toux pour détourner l'attention de l'architecte.

« Elle va bien, » dit Rob d'un ton neutre.

Et si c'était lui qui avait eu une histoire avec Brooke ? Il n'en avait aucune preuve. *Je suis sûr que c'est ce connard, oui, regarde-le à faire le mec frais avec son casque de chantier sur la tête et son col déboutonné.* Face à lui, Rob se sentait ridicule avec son casque, trop gros, pas assez grand. Il ressentit cette sensation fantôme de Gros Robert, du mépris qu'il avait inspiré adolescent. *J'ai l'air d'un putain de Village People de merde.* Inconsciemment, il s'était retroussé les manches et avait bombé le torse pour donner le change devant un concurrent aussi sérieux, ce qui n'avait ému que son assistante qui le couvait d'un oeil admiratif sans objectivité aucune. Matthew Norbert, lui, n'avait rien remarqué.

« Bien, dit Rob. Je vous laisse travailler.

- Merci, fit l'architecte. Bonne journée, à plus tard.

- C'est ça, à plus tard », grinça-t-il en entre ses dents en lui tournant le dos.

En redescendant, ils croisèrent une silhouette cheveux au vent découpée par le soleil déclinant qui montait à leur rencontre en minijupe, bottée de cuissardes. *Elle n'est pas en tenue de chantier.* Et Rob reconnut le visage de Caroll Woodehouse, la femme aux pétitions.

« Comme on se croise, Monsieur Jovignot, assena-t-elle d'une voix chargée de colère maitrisée.

- Bonjour, tenta Rob en espérant passer son chemin.

- Ça tombe bien, c'est précisément vous que je voulais voir.

- Ah ?

- Vous n'avez pas honte ?

- De ? »

Caroll Woodehouse explosa, ses yeux verts froncés de colère.

« Vous osez lancer ce chantier ! Je me suis battue, moi, avec l'association de riverains, sang et eau !

- Oui, mais vous avez perdu.

- Vous êtes content !? Vous nous pourrissez la vie. Mon amie Eva Dubonnet est inconsolable depuis qu'elle sait ce que vous avez fait de son terrain !

- Elle me l'a pourtant vendu sans trop de scrupules. Très cher en plus.

- Elle ne vous l'a pas vendu pour que vous saccagiez tout !

- Je ne sais pas si elle était très regardante, vous savez, elle était bien contente d'encaisser mon chèque.

- Ah oui, l'argent !...

- Oui ?

- Mais continuez, allez-y ! Faites le malin ! Vous vous croyez en terrain conquis ici, mais tout le monde vous déteste, vous, et ce que vous avez fait de cette ville. »

Caroll Woodehouse suffoquait de rage. Juliana était furieuse. Elle ramena ses cheveux platine derrière ses épaules et leva haut la tête, toisant Caroll avec dédain. Elle s'adressa à Rob comme si cette femme n'existait plus.

« Il faut y aller, Monsieur Jovignot. Vous allez être en retard pour aller chercher votre épouse.

- Allons-y », dit-il en contournant Caroll sans un mot de plus.

*

Il descendit récupérer Brooke au Country Club et déposa Juliana à RJ Company avant de faire demi tour pour la villa des Hansen. *Je devrais faire tout ça à pieds,* se dit-il, *c'est une trotte mais ça me ferait maigrir un peu. Si seulement j'avais le temps.*

Les Jovignot entrèrent dans la chambre où flottait une odeur de médicaments. Antonia Hansen dormait. Rob masqua sa surprise. Elle semblait plus maladive encore que la veille.

Brooke et Rob s'assirent de part et d'autre du lit réglable. Rob se pencha doucement et lui prit la main.

« Antonia ? Antonia, c'est moi. C'est Robert. »

Il écarta quelques mèches grises sur son front et la veuve cligna vers lui ses yeux aux cils translucides, avant de les ouvrir complètement.

« Oui, qu'est-ce que c'est ? dit-elle.

- Antonia. C'est moi » insista-il, inquiet.

Elle avait l'air absente, comateuse. Il ne l'avait jamais vue comme ça. Elle finit par lui sourire.

« Tu es gentil, balbutia-t-elle.

- Bien sûr que je suis gentil ! Je vous ai même apporté, une surprise. Regardez qui voilà ! »

Il lui indiqua l'autre côté du lit. Brooke sourit tendrement à la vieille dame.

« Bonjour Antonia, dit-elle. Je suis contente de vous voir. »

Antonia se tourna vers Brooke et son regard resta fixe. Brooke lui adressa un signe de tête encourageant sans que cela ne change l'expression muette de la vieille femme.

« C'est moi. Brooke. »

Antonia ouvrit plus grand les yeux, comme si ses paupières avaient leur volonté propre, autonomes. Brooke eut un mouvement de recul, Rob vint rejoindre son épouse de l'autre côté du lit. Et il vit les yeux d'Antonia s'exorbiter de terreur au fil des secondes. Antonia replia soudain les bras devant son visage et se mit à pousser une série de cris brefs et perçants. Des cris de corbeau.

« Antonia ! »

Robert essaya de lui toucher l'épaule pour la rassurer mais Antonia se débattit en hurlant comme un animal, se contorsionnant dans le lit. Il craignait de la blesser. Brooke s'était relevée d'un bond, horrifiée. Antonia se tordait dans les draps en proie à une hystérie totale.

L'infirmier arriva en courant dans la pièce et observa la scène avant de crier par-dessus les hurlement de la vieille dame.

« Vous devriez partir, ça ne va pas. Revenez à un autre moment. »

Il se précipita sur Antonia pour l'empêcher de tomber du lit au bord duquel elle s'était déplacée dans ses mouvements frénétiques. Il la maintenait tant bien que mal tandis qu'elle agrippait ses mains noueuses à sa blouse blanche. *Mais qu'est-ce qu'il lui arrive ?*

« Ça arrive souvent ? cria Robert.

- Non. Elle n'a jamais fait ça avant. »

L'infirmier semblait tout aussi ahuri que lui.

*

Brooke ne prononça pas un mot durant le trajet du retour. Elle était sonnée par la crise de démence d'Antonia Hansen. Elle se massait les tempes d'une main.

« Tu ne te sens pas bien ? demanda Rob en négociant le dernier virage vers leur maison.

- Oui, ça peut aller. J'ai très mal au crâne. La tête qui tourne un peu.

- On est presque arrivés, tu vas t'allonger un peu. »

Mary Fine les attendait avec Georgia dans les bras. La femme de ménage reposa l'enfant au sol, récupéra son sac à main et détacha ses courts cheveux bruns à la coupe stricte, prête à partir, lorsqu'elle s'arrêta pour regarder Brooke, hésitante. Brooke était très pâle.

« Madame Jovignot ? Vous vous sentez bien ?

- Oui, ne vous inquiétez pas, Madame Fine. Juste un mal de tête.

- Vous voulez une tisane ? Je vous la fait rapidement avant de partir.

- Non, merci c'est gentil. Ça va aller, rentrez tranquillement.

- Très bien. A demain alors. »

Brooke se laissa tomber sur un fauteuil fraichement retapissé sans avoir ôté son manteau, sans avoir embrassé sa fille qui vint d'elle-même vers sa mère en prononçant une suite de syllabes suraiguës. Brooke grimaça de douleur. Rob alla cueillir sa fille et la garda dans ses bras.

« Allez viens là toi.

- Papapapapapapapapapapapapa …

- Oui ça suffit, chut. Maman à mal à la tête » fit-il en posant un doigt sur la bouche de Georgia.

Sa femme se tenait la tête à deux mains, respirant fort. Rob fronça les sourcils. Il arrivait à Brooke d'avoir mal à la tête de temps en temps, et le phénomène était hormonal la plus part du temps. Mais la douleur n'avait jamais semblé aussi intense.

« Tu ne vas pas être en état d'aller au Mékong ce soir, dit-il.

- Je me sens trop mal pour ressortir, oui, soupira-t-elle, les yeux tristes.

- Je vais appeler Marina pour annuler alors. Et la baby-sitter aussi.

- Non, vas-y toi.

- Je ne vais pas te laisser toute seule dans cet état.

- Il faut que tu y ailles, Robert. Avec ou sans moi. Marina t'a préparé un menu spécial, elle s'est mise en quatre pour te faire plaisir, la pauvre. Tu ne vas pas annuler à cause de moi.

- Bon, hésita-t-il. Mais je n'annule pas Ella. Comme ça elle s'occupera de la petite pour que tu puisses te reposer.

- Si tu veux, lâcha Brooke d'un filet de voix exténué.

- J'attends qu'elle arrive pour partir. »

Il s'éloigna de sa femme, emportant plus loin Georgia redevenue bavarde.

*

Le restaurant asiatique était calme ce soir-là. Quelques clients dînaient sous les lumières rouges tamisées. Ralph Hayes était venu seul, et Marina Chang l'avait installé comme souvent à une table près du bar, d'où elle pouvait discuter avec lui par intermittence. La vieille restauratrice n'était pas particulièrement loquace, pourtant, et elle savait que son client solitaire ne l'était pas non plus. Mais elle s'était rapidement prise d'affection pour le directeur financier du George Palace à son arrivée à Woodburg. Aussi redoublait-elle d'attentions pour lui. Elle avait identifié ses goûts culinaires et savait reconnaître son humeur dès qu'il passait la porte. Elle lui préparait souvent des plats qui n'étaient pas au menu comme elle le faisait pour Robert lorsqu'il était tout jeune homme. A cela près que Ralph Hayes avait débarqué ici à la trentaine bien sonnée, déjà trop vieux pour en faire son deuxième protégé.

Marina Chang avait un détecteur pour repérer les gens seuls. Pas simplement de ceux qui dînaient seuls au restaurant, mais des êtres profondément seuls, errants dans leur triste vie sans que l'ombre d'une âme ne les y accompagne. Ralph Hayes faisait partie de ces gens. Il n'avait rien, à première vue, d'un spécimen inspirant la pitié. Charismatique et sûr de lui, il avait l'allure d'un dandy de vieux film sans couleurs. Et malgré les regards qu'il attirait, malgré sa prestance à toute épreuve, malgré cette rare perfection dont il irradiait, Marina avait profondément pitié de lui.

« Vous avez changé les couverts, Madame Chang ? demanda-t-il en brandissant une paire de baguettes en bois laqué.

- Oui, les assiettes aussi, les verres, les tasses et le linge de table. Et bientôt, ce sera les murs et les luminaires.

- Vous avez beaucoup de goût. La nouvelle vaisselle est superbe.

- Merci mais je n'y suis pour rien. C'est Brooke Jovignot qui m'a aidée à tout choisir. C'est elle qu'il faut complimenter.

- Ah !

- Regardez ça, dit Marina en attrapant un épais volume d'échantillons posé sur le bar. Ça, c'est le revêtement mural qu'elle m'a convaincue de mettre. Elle m'envoie des ouvriers pour les installer la semaine prochaine. Il faudra que je ferme deux jours pour qu'on installe tout.

- C'est sublime. »

Marina le quitta pour accueillir des clients à la porte. Ralph resta pensif, caressant machinalement l'échantillon de velours rouge à motifs sombres du catalogue.

Il entendit le nom de Brooke prononcé une seconde fois dans la même minute, cette fois d'une table voisine où dinaient trois commerçantes du quartier. Susan Petit de la Blanchisserie&Co, Heather Foley, du salon de thé Eliane Bakery et Tonya Jen, propriétaire du salon de coiffure Beauty B. Cette dernière avait gagné en notoriété un an plus tôt en se battant avec Lisa Alvin, sa concurrente du salon Madame, ce qui avait valu un gros titre dans le Daily Woods « crêpage de chignon entre deux gérantes de salon de coiffure ». Un épisode intense qui avait longuement entretenu les conversations locales.

« Enfin ! disait Heather. Mais elle se tape le mari de la fille des Ward.

- Sa meilleure copine, Kristen, ajouta Susan. Mais enfin ma pauvre, dans quelle ville tu vis ?

- Comment vous savez ça ? Apparement à part l'histoire de la gifle, personne n'a aucune preuve de rien, insistait Tonya. Personne n'a rien vu.

- Oh c'est bien suffisant, fit la blanchisseuse. Pas besoin de plus. Une belle salope celle-là quand même. Kristen est la marraine de sa fille en plus.

- Je vous assure que je n'étais pas du tout au courant de cette histoire.

- Je ne sais pas comment tu t'es débrouillée. Tout le monde est au courant.

- Pas moi. »

Et Ralph non plus. Il s'était raidi sur sa chaise et avait gardé son verre de bière en suspens à mi chemin entre la table et ses lèvres.

« Je peux vous dire que j'ai pas attendu cette histoire pour l'avoir à l'oeil, annonça Heather en écartant son épaisse frange dorée. Je vois bien son petit jeu avec mon mari quand elle va faire ses courses. »

Ses deux amies se turent par décence. A ce qu'elles en savaient, aucune femme à part la sienne ne s'était jamais retournée sur Christopher Foley depuis au moins quinze ans. Elles se doutaient qu'Heather était jalouse de ce que son mari se montre toujours prévenant envers cette cliente en particulier. Ralph lui-même ne put s'empêcher de sourire en pensant au patron du supermarché de Woodburg. Susan imprima son rouge à lèvres orange sur sa serviette et pinça ses lèvres fines avant de reprendre d'un ton exaspéré :

« En tout cas c'est bien fait pour ce petit trou du cul de français. Anton ne peut pas l'encadrer.

- C'est vrai que ton mari le déteste, sourit Heather, imprimant une ride marquée au coin de sa bouche.

- C'est lui qui l'appelle comme ça, trou du cul de français. Ça fait marrer ses clients quand ils viennent acheter le Daily.

- Forcément, dit Tonya, ce connard est en train de nous transformer la ville en Disney World bis.

- Ouais, et c'est pas fini, soupira Susan.

- En tout cas ce type c'est du vent. Tu souffles dessus, je suis sûre qu'il y a plus rien.

- Je me suis toujours demandé ce que sa femme lui trouvait. Elle aurait pu dénicher mille fois mieux.

- Elle l'a fait. Mais après !

- Oh, en parlant du loup. »

Elles cessèrent de parler en même temps. Robert venait d'entrer et embrassait Marina venue l'accueillir. Les trois femmes gloussèrent sous cape et firent en sorte de changer rapidement de sujet.

Apercevant Ralph, Rob marcha vers sa table.

« Bonsoir Ralph. Vous êtes tout seul ?

- Oui.

- Je peux me joindre à vous ? Je devais venir avec ma femme, mais elle est souffrante.

- Bien sûr. »

Ravie, Marina ajouta le couvert de Robert à côté de celui de Ralph. A côté, les trois clientes s'étaient calmées, et les observaient de temps en temps à la dérobée. Les deux hommes parlèrent peu. Des échanges polis du strict minimum.

Ralph avait pour Rob le même sentiment que lui-même inspirait à Marina. Il ressentait de la compassion Robert. Son patron, encore dans le déni, connaîtrait sans doute le même sort que lui, en sachant que Robert n'avait ni sa superbe ni son assurance.

Depuis qu'il travaillait à ses côtés, il avait eu tout loisir de repérer ses failles. Il sentait par moment Robert se fissurer malgré sa réussite fulgurante, craquer sous son vernis de jeune premier en même temps que le bouton de chemise qui parfois menaçait de sauter au niveau du nombril dans un suicide embarrassant.

Le pauvre, se disait Ralph. *S'il savait … ça le tuerait.*

CHAPITRE 3

Les jours avaient considérablement raccourci. Woodburg s'engluait tranquillement dans le calme de novembre, au ralenti de la saison froide. Le ciel se couvrait de blanc. Les enfants entraient plus vite et plus couverts dans les cars scolaires.

Les vacanciers avaient déserté la petite ville, remplacés par des cadres en déplacement professionnel, préférant dormir dans son cadre enchanteur plutôt que dans un building de Samsontown. Mervyn et Laura Saintclair, la cinquantaine infatigable, aéraient l'auberge Woodburg Inn, une fois leurs deux clients repartis pour la journée. Norma Blank du Bed and Breakfast Welcome, sans rien perdre de son élégance stricte, rassemblait à pleine brassées le linge de maison sale qu'elle allait porter à la blanchisserie de Susan Petit. Les touristes reviendraient tout de même se promener ici comme chaque week-end, sortant la bourgade de son engourdissement.

En attendant, Jane Killmeyer, agitant ses bras épais, remontait manuellement le store de sa boutique de souvenirs We Love Woodburg, sachant qu'elle n'aurait pas grand monde en pleine semaine. C'était une grande optimiste. Les commerces de proximité quant à eux ne désemplissaient pas. Lisa Alvin ouvrit à Lorenza

Page qui faisait le pied de grue à l'ouverture de Madame pour un brushing matinal sur ses cheveux peroxydés avant d'aller voir son conseiller patrimonial à Samsontown.

Alors qu'il s'était trouvé au bord de la fermeture une dizaine d'années plus tôt, le Country Club, lui aussi, prospérait chaque jour. Si la piscine extérieure avait récemment été bâchée sous les ordres d'Aidan Norton, cela n'empêchait pas les membres d'affluer dans l'établissement pour profiter des nombreuses salles de sport, du spa et de sa piscine couverte.

Enfin, sur le port brumeux du matin, Linda Springs faisait son jogging quelque soit la saison, agitant ses muscles fins le long du lac. La femme du maire salua sans s'arrêter Jean-Jacques Gontrand qui réceptionnait sa livraison de légumes pour Le Terroir. A quelques pas du restaurant du chef français, les deux cabanons de hot dogs et de gaufres gardaient leurs stores baissés jusqu'au prochain week-end. Quant à son voisin et concurrent Erik Hayder, il avait décidé de fermer le Crawfish pour deux semaines, afin de passer du temps en famille dans le Maine après une saison chargée. Juste à côté, le vieil Adam Connor ouvrit sa boutique d'articles de pêche comme chaque jour. Ce qu'il ferait tant que Dieu lui prêterait vie.

*

Rob passa la porte de RJ Company, salua Juliana et se rendit directement dans son bureau. Il était d'humeur égale. En l'espace de quinze jours, avec un peu de patience et beaucoup d'abnégation, il avait réussi à stabiliser ses humeurs, pour son bien, celui de son couple et pour les gens qui comptaient sur lui. Il n'allait pas si mal, du moins s'en convainquait-il. Il n'avait pas parlé avec Brooke mais avait beaucoup réfléchi. Il en avait déduit qu'il n'était pas le premier mari cocu de l'histoire de l'humanité. Cela prendrait du temps, encore, mais il estimait qu'un jour ou l'autre, la trahison se lasserait de hanter son coeur, et qu'il parviendrait à la lui pardonner.

Il commença par examiner le courrier que Juliana n'avait pas ouvert. Une lettre sortait du lot. Son nom et adresse professionnelle étaient manuscrits et il n'y avait pas d'expéditeur. Le timbre indiquait qu'elle avait été postée depuis Woodburg. Il en sortit un papier blanc plié en quatre où figuraient quelques mots en majuscules énervées.

« Pauvre con. Pour qui tu te prends ? Tu n'es rien du tout ici. Ne crois pas que ça va durer toujours. »

Resté debout, il considéra les phrases anonymes, perplexe. *Quel est l'abruti qui m'envoie cette merde ?* Il tenta de fouiller mentalement à la recherche de quelqu'un qui ne l'aimait pas.

Roberta Madden ? Caroll Woodehouse dont la vulgarité n'offusquait plus personne ? Ou Alfred son mari au sourire de politicien insoutenable d'hypocrisie ? Anton Petit de l'ExPress dont il connaissait l'animosité ? La coiffeuse Tonya Jen ? Il pouvait encore citer des noms, la liste était trop longue, il n'avait jamais réalisé à quel point. *Et puis quelle importance ?* Il déchira le papier et le jeta dans la corbeille. *J'ai déjà assez à faire avec mes névroses pour m'occuper de celles des autres. Repassez après l'inventaire, merci.*

Il demanda à Juliana de convoquer son équipe en incluant Natale Parlante. Une jeune vedette de la chanson à la notoriété grandissante arrivait au George Palace le lendemain avec une équipe de tournage pour son dernier clip.

« Juliana ? demanda-t-il avant que ses employés n'arrivent jusqu'à son bureau. Rappelez-moi comment s'appelle cette chanteuse, déjà ?

- Elle s'appelle Sonat.

- Ah oui c'est ça. Merci bien.

- Vous ne connaissez pas ses chansons ? On la voit partout !

- J'avoue que non. Je ne suis plus trop à la page. Je crois que c'est pour les jeunes non ?

- Mais Monsieur Jovignot, vous n'êtes pas vieux !

- Oui oui enfin. C'est plus tellement mon truc les boums, tout ça. »

Juliana pouffa dans ses dossiers et Stella Wings et Ralph Hayes entrèrent dans le bureau de Rob en compagnie du chef cuisinier.

« Bonjour à tous. Bon, demain, la chanteuse vient avec son équipe. Juliana, son nom ?

- Sonat.

- Merci.

- Vous ne la connaissez pas !? lâcha Stella.

- Pas trop en fait. Mais j'espère que vous vous êtes bien renseignée par contre.

- A vrai dire pas tant que ça. On la voit partout, je n'ai pas tellement eu à chercher beaucoup d'informations.

- Bon ben tant mieux hein ! Tout le monde n'a pas votre culture.

- C'est quand même une star, intervint Natale Parlante avec un sourire en coin.

- Si c'était vraiment un star je la connaîtrais. C'est pas non plus Mickael Jackson que je sache. Si ?

- Non.

- Bon, bref. Est-ce qu'on a bien dégagé la grande salle pour le tournage ?

- Oui, dit Ralph. Les derniers éléments disparaîtront au dernier moment, les équipes sont briefées.

- Les chambres ?

- La chanteuse sera dans la suite impériale, ses gardes du corps auront la chambre attenante, son agent la suite d'à côté. Les techniciens ont des chambres standards au premier étage. Ils sont une douzaine.

- Stella, vous vous êtes renseignée pour les repas ?

- Bien sûr.

- Vous avez vu avec Natale ce qu'il devra préparer ? Si elle a des préférences ?

- La chanteuse n'aime pas le fromage, dit Stella à Natale. Pour le reste, il n'y a rien à signaler.

- Pas de fromage !? » s'écria Natale.

Robert étouffa le rire qui le tenaillait à la tête que faisait le chef. L'absence de fromage annoncée semblait aller au-delà d'une simple hérésie, cela représentait un obstacle aux proportions délirantes.

*

Stella Wings regagna son bureau après sa salade du déjeuner. Elle s'était occupée des derniers détails de la venue de Sonat tout le reste de la matinée.

« Tout est en place, » dit-elle tout haut.

Elle tourna les pages de l'agenda qui allait en blanchissant pour la saison calme à la recherche des évènements à venir. Les mariages et baptêmes qui auraient lieu au Palace d'ici Noël nécessitaient encore quelques coups de fils qui pouvaient attendre quelques jours. Ses yeux s'arrêtèrent sur un séminaire de trois jours pour quinze personnes entre deux célébrations. Elle décrocha son téléphone et tapa les deux numéros qui la reliaient au directeur financier.

« Oui Stella ? dit Ralph.

- Dites-moi, vous avez des nouvelles de la Chicago Brown Estate ?

- Des nouvelles ? Comment ça ?

- Vous savez, l'agence de Russel Brown. Il a prévu un séminaire ici dans deux semaines. Tout est en ordre ?

- Je n'en sais rien, dit-il sèchement.

- Ok tant pis. Merci quand même. Je vais me d... »

Il raccrocha avant qu'elle ne finisse sa phrase.

« Sympa ... »

D'après ce qu'elle avait perçu, son collègue vouait une manifeste aversion à Russel Brown. Stella retrouva le numéro de l'agence dans son ordinateur et composa le numéro du standard.

Elle avait envie d'une cigarette et mordait avidement le capuchon en plastique de son stylo.

« Chicago Brown Estate, bonjour, dit la voix monotone d'une jeune femme.

- Bonjour, Stella Wings du George Palace de Woodburg à l'appareil.

- Que puis-je pour vous ? »

Stella s'agaça du ton ouvertement nonchalant de son interlocutrice. Elle se promit d'en toucher un mot à Russel Brown lorsqu'il viendrait.

« Je voudrais parler à l'assistante de Monsieur Brown, s'il vous plaît.

- Euh ...

- Oui ? J'attends.

- C'est à dire que ... il n'y a plus d'assistante.

- Bon, je ne sais pas. Passez-moi directement monsieur Brown dans ce cas !

- Je ne peux pas, je ... s'interrompit la voix tremblante de la jeune femme.

- Bon sang mais réveillez vous deux minutes ! Vous servez à quoi au juste derrière le téléphone !?

- Monsieur Brown est mort. »

Il y eut un blanc soudain. Stella s'était rassisse sur son fauteuil, soufflée par la nouvelle. Russel Brown avait à peine quarante ans. Elle entendit son interlocutrice renifler dans le combiné, dont la voix finit par lâcher dans une dernière phrase prononcée à bout de souffle.

« Il est mort brutalement il y a deux semaines ».

Le téléphone raccroché, Stella Wings demeura longuement immobile. Elle revit le visage de Russel Brown, ses airs de Gastby légèrement dépressifs aux Galas de Charité que son épouse organisait au George Palace à son ouverture. C'était un gâchis terrible.

Elle songea à son patron. Il ne pouvait pas le savoir. Il l'aurait appris à son équipe s'il l'avait su. Elle ne se sentait pas de le faire. Ce n'était pas à elle de le lui annoncer.

« Mais secoue-toi ! dit-elle encore toute seule. Il faut bien qu'il le sache... »

Elle traversa les bureaux d'un pas décidé. Juliana s'interposa, *en bonne chienne de garde,* selon Stella, pour lui bloquer l'accès au bureau de Robert.

« C'est à quel sujet ? Je vais le prévenir ...

- Pousse-toi, c'est urgent, » fit-elle, exaspérée.

Affalé dans son fauteuil, Robert lisait un rapport, visiblement ramolli par un déjeuner trop copieux au Harvey Steak House. Il se redressa, comme pris en faute, lorsque la directrice commerciale entra sans frapper. Il eut juste le temps d'apercevoir le visage contrarié de son assistante par-dessus son épaule avant que Stella ne lui claque la porte au nez.

« Stella !? Qu'est-ce qu'il se passe ?

- Je viens d'apprendre une mauvaise nouvelle.

- Dites-moi ?

- Russel Brown est décédé.

- Pardon ? »

L'annonce l'avait collé au dossier du siège. Stella était repartie depuis plusieurs minutes. *Comment c'est possible ? Qu'est-ce qu'il lui est arrivé ?* Une méchante part de lui aurait pu se réjouir que la faucheuse lui eut enlevé un concurrent du paysage, mais la pensée parasite ne fit que l'effleurer avant de s'envoler dans des contrées inaccessibles. Russel Brown avait connu une fin brutale deux semaines plus tôt. Stella n'avait pu lui fournir davantage d'informations. C'était tout ce qu'elle savait. *Brooke n'est pas au courant. Elle me l'aurait appris.* Et si sa meilleure amie ne lui avait pas fait part du décès de son mari survenu depuis plus de dix jours, c'est qu'elle avait ses raisons d'être en froid avec elle. Rob sentit la lame remuer son coeur encore fragile bien qu'il ait cessé de se bercer d'illusions sur les relations qu'avait eu sa femme avec Russel

Brown. Il hésita à téléphoner lui-même à Kristen et pesa longuement le pour et le contre. *Bon, il n'y a pourtant que ça à faire,* décida-t-il en s'emparant de son calepin. Il retrouva le numéro de Kristen et attendit en respirant fort. La tonalité s'étirait.

« Allô ?

- Kristen, c'est Robert.

- Rob ... »

Il n'entendit plus rien durant plusieurs secondes. Pas même une respiration. Il crut la communication coupée.

« Kristen ... Tu es là ? »

Il entendit deux profonds soupirs. Puis une voix exténuée.

« Oui, je suis là. »

Il se sentit stupide, tout d'un coup. *Qu'est-ce que je peux dire sans passer pour un crétin ?*

« Je viens d'appendre le décès de Russel ... par mon personnel. Je suis ... enfin ... que s'est-il passé ?

- Il a eu une crise de démence, sûrement à cause d'un somnifère... et ... il a fait ça tout seul. Les médecins n'ont pas vraiment su expliquer.

- Mon Dieu ... Kristen. Je suis sincèrement désolé.

- Merci ...

- L'enterrement ...?

- La semaine dernière, à Chicago.

- ... Est-ce que Brooke est au courant ?

- Non. Non je ne crois pas.

- D'accord. Est-ce que tu veux qu'elle t'appelle ? Qu'elle vienne te voir à Chicago ?

- Non, ça ira. »

Il n'y avait pas eu de hargne dans ces derniers mots. Juste une profonde lassitude. Une résignation terrible. Rob était parvenu à court de mots.

« Je dois te laisser Rob. C'est gentil de m'avoir appelée.

- C'était la moindre des choses, Kristen.

- Embrasse Georgia pour moi, tu veux ?

- Absolument. »

Un nouveau blanc. Rob entendit une respiration hésitante.

« Et Rob ?

- Oui ?

- Fais attention à toi.

- Merci ... Toi aussi Kristen. »

Il avait senti de l'apitoiement dans la voix de Kristen. Et il semblait lui être destiné.

Il ferma les yeux. Il frissonna à l'idée de la mort atroce qu'avait dû connaître l'amant de sa femme. Et au fait qu'il allait devoir la lui apprendre lui-même.

Il regarda l'heure. Brooke lui avait dit qu'elle irait voir son amie Soledad Orteno au Phenomenal. *Elle doit y être maintenant.* Il se leva et se rassit aussitôt. Allait-il devoir consoler sa femme de la mort de son amant ? On pouvait apercevoir la galerie d'art depuis les chambres de l'hôtel côté rue. Il n'aurait qu'à traverser pour le lui annoncer, mais n'était pas certain de bien vivre le chagrin qu'il verrait sur son visage. Un coup de fil rapide lui permettrait de voir sa réaction de plus loin une fois la communication coupée. Peu fier de lui, de cette sensation de mesquinerie, il monta au troisième étage avec son pass et pénétra dans une chambre vacante. Il préférait procéder ainsi. Ce serait moins douloureux pour lui.

Il écarta le voilage des fenêtres. Brooke était bien là, assise en face de Soledad autour du petit bureau devant la vitrine. Les deux femmes discutaient autour d'une théière fumante en examinant ensemble les pages d'un grand catalogue. Il se sentit abattu, hésita encore un moment avant dégainer son téléphone.

« Allô ?

-   Brooke ? Où est-tu ?

- Au Phenomenal. Je ne te l'avais pas dit ce matin ?

- Ah oui ... c'est vrai.

- Tout va bien Rob ?

- Oui, moi ça va. Mais j'ai quelque chose à te dire.

- Qu'est-ce qu'il se passe ?

- C'est Russel, le mari de Kristen.

- Oui ? fit une voix qui ne montrait aucune émotion particulière.

- Il est mort il y a deux semaines. »

Il approcha au maximum de la fenêtre jusqu'à ce que le bout de son nez touche la vitre.

Il vit de dos de sa femme se redresser sous l'effet de la surprise.

« Mon Dieu, articula-t-elle d'une voix calme après un court silence. Comment c'est arrivé ?

- On ne sait pas trop. Visiblement il aurait eu un accident pendant une crise de démence dont on ignore la cause. Je n'ai pas bien compris moi-même.

- C'est épouvantable. »

Cela sonnait comme un bien triste constat, mais sans larmes ni agitation. Sans doute se retenait-elle. Rob eut l'étrange sensation que c'était pour lui que la chose était plus douloureuse. Il ne se sentait pas à l'aise.

« Brooke. Je dois te laisser. Je dois dîner avec Gordon chez Henry Modino. Tu veux que j'annule ?

- Non, ce n'est pas nécéssaire.

- Dans ce cas je rentre en sortant du restaurant.

- D'accord. A ce soir. »

Il guetta Brooke qui reposa son téléphone sur le bureau de Soledad. Il la vit échanger quelques mots avec elle. Elle avait l'air triste. Il vit Soledad se pencher vers elle et lui parler comme quelqu'un à qui l'on vient d'apprendre une mauvaise nouvelle. Brooke semblait juste triste sans être dévastée. Il n'y eut pas de pleurs, pas d'effondrement. Juste quelque chose d'amer et d'irrémédiable.

Soudain, Georgia apparut du fond de la galerie d'art et marcha vers sa mère en agitant une peluche dans une main et un dessin dans l'autre. Brooke la hissa jusqu'à ses genoux et reprit son examen du catalogue avec son amie dont Georgia se fit une mission de tourner les pages. Brooke lui embrassa le sommet du crâne en la serrant contre elle.

Est-ce que Brooke emmenait la petite avec elle lorsqu'elle voyait Russel en cachette ? Il en doutait. Brooke s'était certes montrée immorale, mais elle n'aurait pas eu cette indécence.

*

Rob se gara sur le parking du Country Club en fin d'après-midi. Il avait rendez-vous avec Aidan Norton. Il passa l'accueil, salua les employés par leurs prénoms et se dirigea vers le bureau du directeur. Il croisa l'épouse de ce dernier en chemin. Barbara Norton était vêtue d'une tenue de sport moulante et tenait un tapis de yoga sous le bras. Ils échangèrent quelques politesses lorsqu'Aidan apparut dans le couloir et s'avança jusqu'à eux.

« Au fait, Robert, dit Barbara. Est-ce que Brooke est disponible ces temps-ci ?

- Disponible ?

- Oui, j'aimerais qu'elle vienne à la maison, à Marlow. Elle avait tout redécoré il y a quelques années, vous vous souvenez ?

- Oui je crois.

- Sauf que le temps passe et que les enfants grandissent. Je voudrais faire refaire leurs trois chambres. Vous pensez qu'elle a le temps en ce moment ?

- Je pense que oui. Elle est sur des chantiers au Mekong et au Phenonenal je crois. Mais vous pouvez la contacter sans problème.

- Très bien, je vais faire comme ça. Merci Robert, à bientôt.

- Au revoir Barbara.

- A tout à l'heure », adressa cette dernière à Aidan.

Rob remarqua quelque chose dans l'oeil d'Aidan lorsqu'il regardait sa femme. Cela ressemblait à une lassitude, quelque chose d'amer, d'indéfinissable, un sentiment mitigé que Robert s'enorgueillit de ne pas avoir envers Brooke. Il ne comprenait pas comment on pouvait regarder sa propre femme de cette manière, si furtive soit-elle. D'autant que Barbara Norton était particulièrement belle et son mari était loin de lui parvenir à la cheville. Elle avait la peau mate et une chevelure brune qui ondulait sur son corps de statue de marbre. Lui, sans être laid, restait pâle comme un linge à longueur d'année, il avait un léger surpoids, et ses bouclettes tirant sur le roux qui lui donnaient un air d'adolescent myope. *Peut-être qu'il est comme moi. Peut-être que lui aussi s'est mis avec une femme mieux que lui et qu'elle a passé assez de temps avec pour s'en rendre compte. C'est pas le Country Club c'est le Club des Cocus.*

Rupert et Linda Spring passèrent à leur hauteur et le maire adressa à Rob un salut d'une cordialité forcée, usant de son sourire de jeune premier.

« Bonjour Rupert,

-   Alors c'est vrai ce qu'on raconte ? »

Robert était perdu. *Vrai quoi ? Vrai que Brooke me trompe ? Vrai que son amant vient de mourir ?*

Rupert souriait. Il savourait la gêne de Robert. *Quelle raclure celui-là.*

« Pardonnez-moi mais je n'ai pas compris votre question.

-   C'est vrai qu'on va avoir une star en ville ?

-   Ah, fit Robert. Oui. En effet. Sonat. Elle arrive à Woodburg demain.

-   Bien » conclut le maire en tapant sur l'épaule de Rob comme on flatterait un gamin débile.

Aidan, exaspéré du malaise volontairement installé par Rupert Springs se plaça entre les deux hommes.

« Rupert, fit-il en lui tendant la main, je m'excuse, mais Robert et moi devons régler des questions urgentes. Ne m'en voulez pas.

-   Je vous en prie, faites. »

Tournant le dos au maire, Aidan jeta un regard complice à Rob qui le remercia d'un hochement de tête.

Les deux hommes s'installèrent dans le bureau d'Aidan.

« J'ai besoin de votre aide à propos de cette chanteuse qui vient demain justement, annonça Robert.

- Qu'est-ce que je peux faire pour vous ?

- J'aimerais organiser la fête de fin de tournage du clip ici.

- Vous n'aviez pas prévu de la faire au George Palace ?

- Si, en effet. Mais la grande salle risque d'être encore encombrée par le matériel du tournage. Je ne veux pas faire le mauvais flic à bousculer des techniciens qui ne sont pas les miens pour qu'ils débarrassent leur barda et je ne veux pas prendre le risque d'une mauvaise gestion du temps.

- Pas de problème. Je m'en occupe.

- C'est vrai !? Je suis désolé, le délai est court, je sais. Mais vous me sauvez la vie.

- J'en suis heureux. »

Aidan était sincère, cela lui ferait une surcharge de travail mais il le faisait de bon coeur par sympathie pour Robert. Les choses étaient plus faciles ainsi. Car s'il avait voulu refuser il aurait tout de même été contraint d'accepter. Robert étant le principal actionnaire du Country Club.

« Merci, vraiment. Stella Wings prendra contact avec vous dès demain matin avec tout le cahier des charges. Je pense qu'elle viendra vous voir dans la journée.

- Entendu.

- Vous avez des questions qui vous viennent ? »

Aidan se frotta la tête et réfléchit.

« Non, pas à ce sujet. En revanche je voulais vous parler du chantier là-haut.

- Je vous écoute.

- L'autre jour Roberta Madden est venue me faire une scène ici.

- Ah, elle … ça ne m'étonne pas. J'en suis navré.

- Ce n'est pas cela qui m'inquiète le plus. Tout le monde sait que c'est une vieille fille aigrie. Ce que je trouve plus inquiétant, c'est qu'apparement, Arthur et Rose Waterfalls mettent de l'huile sur le feu avec elle. J'ai parlé aux Waterfalls juste après. Ils nient ajouter de l'eau à son moulin, mais j'ai plutôt tendance à la croire, elle. Les Waterfalls sont un couple de sinistres hypocrites. Pardon si vous les aimez bien.

- Ce n'est pas le cas. Et je n'aurais pas dit mieux.

- Qu'est-ce que vous en pensez ?

- Qu'il faut laisser couler. Mon avocat a gagné le procès, je suis dans mon bon droit.

- Ça n'empêche pas certaines personnes d'être en colère contre vous. Et contre nous par ricochet.

- Oh ça je sais ! J'ai eu le droit à une crise de Caroll Woodehouse dès le premier jour du chantier. J'ai reçu une lettre anonyme ce matin … Franchement si je m'attarde sur toutes ces conneries je n'ai pas fini.

- Je suis d'accord avec vous. J'espère juste qu'il n'y aura pas trop d'incidents de ce genre.

- A qui le dites-vous... »

Robert s'appuya sur les accoudoirs de son fauteuil et se releva, alourdi de fatigue. Aidan ne paraissait pas en meilleur état. *On est beaux à voir, même pas quarante ans et déjà tout rouillés.*

Aidan raccompagna Robert jusqu'à l'accueil. Ils se serrèrent la main.

« Merci Aidan. Vous êtes un véritable ami. »

Aidan hocha la tête et regarda Rob disparaitre dans la porte à tambour. Il s'était sentit bêtement ému à ces derniers mots. Il resta planté dans le hall désert, perdu dans ses pensés. Si bien qu'il n'avait pas vu Andrea Perez venir à sa rencontre.

« Monsieur Norton ? … Monsieur Norton ?

- Hein ? Ah oui pardon. »

Le jeune masseur regardait son patron d'un air étonné.

« Qu'est-ce qu'il y a Andrea ?

- Lorenza Page a annulé son massage au dernier moment.

- Elle avait sûrement une séance d'injections. Bientôt elle aura la bouche plus grande que sa tête. Son mari était chirurgien esthétique, elle te l'a dit ?

- Oui, elle en parle de temps en temps.

- Tu as de la chance d'être épargné pour aujourd'hui. Par moment, Lorenza Page, ce n'est pas exactement un cadeau.

- Ahah ! Si on veut. Du coup j'ai terminé mes rendez-vous pour aujourd'hui.

- Bien sûr. Tu peux rentrer.

- Sauf si vous avez besoin d'aide, je peux rester. »

Aidan lui tapa affectueusement dans le dos.

« Non, ça ira, tu es gentil. Tu peux rentrer chez toi mon garçon. »

*

Rob fit un arrêt chez Antonia Hansen avant de se rendre au Harvey Steak House pour la deuxième fois de la journée. Il franchit la porte avec appréhension et fut rassuré lorsque l'infirmier vint le saluer la mine souriante.

« Elle va mieux ?

- Oui, elle est juste fatiguée.

- Elle n'a pas eu de nouvelles crises ?

- Non, ce n'est arrivé qu'une seule fois.

- Vous ne savez toujours pas pourquoi ?

- Malheureusement non. Ça arrive avec les personnes de son âge.

- Je vois. »

Il s'assit auprès de la vieille dame. Elle dormait, le visage paisible, le teint plus cireux que la veille encore. Il lui embrassa la main et s'empressa de repartir.

*

Rob poussa la porte de l'établissement d'Henry Modino qui l'accueillit chaleureusement, lui annonçant que Gordon était déjà arrivé. Le Steak House aux tables à carreaux rouge et aux pierres apparentes était quasiment plein. Robert passa devant le couple de pharmaciens Jim et Dorothy Cherval qu'il salua, avant de s'arrêter devant la table de Jane Killmeyer qui dînait avec Benedict Crew du Bed and Breakfast Summertime.

« Mesdames, comment allez-vous ? »

De loin, il vit Gordon Dwight rire tout seul en l'observant. Son ami savait que Rob n'était pas prêt d'arriver à table s'il commençait à parler avec l'explosive propriétaire du We Love Woodburg que tout le monde surnommait la cantatrice. Et il avait raison.

« Formidable, formidable, fit Robert qui n'en avait pas écouté la moitié. Bon, les affaires vont bien ?

- Merveilleusement grâce à vous, dit Benedict, le visage radieux malgré des cernes sous ses yeux noirs étincelants.

- L'été a été excellent, ajouta Jane. On a hâte d'être à la parade de Noël maintenant !

- Oui, ça va arriver vite. Bien, je regrette mais je dois vous laisser, sinon Gordon va manger tout seul. Benedict, vous saluerez votre mari pour moi.

- Je passe le message à Jonas. Et vous, embrassez Brooke pour moi.

- Je n'y manquerai pas. Bonsoir Mesdames. »

Enfin, il s'affaissa sur la chaise libre en face de l'ancien maire.

« Ça va mon grand ? demanda le vieil homme.

- On va dire ça. Je viens d'aller voir Antonia.

- Comment va-t-elle ?

- Pas terrible.

- Pauvre Antonia. Elle a bien vite sombré après la mort son George.

- Je la comprends.

- Je sais, c'est dur pour toi aussi.

- Ouais ... Bon, on se commande des bières ? »

Gordon mangeait avec appétit. Robert avait été plus raisonnable. Il regardait son vieil allié enfourner ses frites avec les doigts.

« Tu devrais faire attention avec le gras.

- Quoi ? fit Gordon la bouche pleine avant d'enfouir son épaisse barbe grise dans sa serviette.

- Non, je ne veux pas dire que tu es trop gros. Mais bon, ça va ton cholestérol ? Parce que j'ai déjà Antonia, je n'aimerais pas avoir deux malades en même temps.

- Ne t'inquiète pas pour moi, je suis frais comme un jeune homme d'après mon médecin. Il n'y a que Roberta Madden qui pense que j'ai les artères bouchées mais elle n'est pas médecin.

- Roberta Madden t'a dit ça ?

- Oui, l'autre jour. Elle est venue taper une crise au Country Club à cause de ton chantier.

- Aidan Norton m'en a parlé tout à l'heure, oui. Je n'étais pas au courant.

- Bah c'est plutôt de Roberta que de mes artères dont tu devrais te préoccuper.

- Je la gère, ne t'en fais pas. Elle me fait des procès depuis 95 à cause des festivals d'été et elle les perd tous. J'ai l'habitude. »

Gordon rongea pensivement l'os de sa côte de boeuf.

« Tu sais, dit-il, tu devrais baisser un peu les radiateurs avec les projets.

- Comment ça ?

- Freiner un peu quelques temps, tu vois ? Termine le chantier du Country Club et laisse couler un peu de temps après ça.

- Pourquoi tu dis ça ?

- Parce que, je n'aimerais pas que tu t'attires trop d'animosité en multipliant les chantiers. Tu veux bien me dire que tu vas essayer ?

- Si tu y tiens, j'essayerais. J'ai rien de prévu après ça pour le moment de toute façon.

- C'est pour toi que je dis ça mon grand. »

Il était près de vingt-et-une heures lorsqu'il rentra. Georgia était déjà couchée depuis longtemps. Brooke était enfoncée sur le canapé du salon, un plaid en cachemire sur les genoux. Elle regardait un documentaire sur le Colorado sur une chaine câblée sans avoir l'air d'en suivre le fil. Il se déchaussa et s'assit à côté d'elle. Il vit qu'elle avait les yeux secs.

« Ça va ? » demanda-t-il.

Brooke acquiesça. Elle parlait peu d'habitude, mais Rob devina qu'elle parlerait encore moins après avoir appris la mort de Russel. Elle gardait les bras croisés sur son ventre.

« Je suis désolé pour Russel. »

Même réaction. Cela l'agaça.

« Tu as téléphoné à Kristen ? »

Elle fit non de la tête. Rob haussa le ton.

« Enfin, Brooke, merde, utilise des mots ! Je suis ton mari, pas un élément de décor ! Ça te coûte quoi de prononcer un oui ou un non !?

- Excuse-moi, j'ai la gorge enrouée. »

Rob eut un léger sursaut. Brooke avait parlé d'une voix rauque, une voix de laryngite qui lui avait presque fait peur. Brooke le quitta des yeux et revint aux images télévisuelles du Colorado. *C'est une diversion.*

Il était certain que ce n'était pas pour épargner ses cordes vocales qu'elle avait refusé de s'exprimer à haute voix. Elle avait dû pleurer la mort de son amant en cachette pendant plusieurs heures. Et elle ne voulait pas qu'il s'en aperçoive.

C'est aussi simple que ça.

CHAPITRE 4

Robert prit son petit déjeuner seul. Brooke était restée au lit. Les rayons du soleil d'automne inondaient la vallée. Le spectacle était magnifique depuis la fenêtre. Le pas de Brooke résonna dans la cuisine. Sa femme, vêtue d'une robe de chambre, portait leur fille dans ses bras. Elle installa Georgia sur la chaise bébé, déposa un baiser sur la joue de son mari et saisit des fruits avant de s'approcher du mixer.

« Tu veux un jus de fruits ? »

Robert se raidit, stupéfait. Sa femme lui tournait le dos. Cela ne pouvait pas être sa voix, et cela ne pouvait pas être les larmes. Même malade, Brooke n'avait jamais été enrouée à ce point. On aurait cru la voix d'un homme porté par l'écho d'une caverne. Robert reposa sa tasse, se leva et alla vers elle.

« Ça ne va pas mieux ta gorge, on dirait. Tu as de la fièvre ? »

Elle secoua la tête.

« Ça a l'air pire qu'hier. Tu devrais peut-être voir le médecin aujourd'hui.

-   Non, ça ira. J'irai plus tard si ça ne s'arrange pas.

- Comme tu veux. Je file, j'ai une grosse journée. A ce soir.

- A ce soir. »

Alors qu'il embrassait sa femme, il vit un éclair d'inquiétude passer sur le visage de Georgia. La voix de sa mère avait dû lui faire peur. Une voix de sorcière, ou de grand-mère démoniaque de dessins animés. La voix du mal dans les fiction enfantines. *J'aurais été gosse, je me serais caché sous la table.* Voir cette expression anxieuse pour la première fois sur le visage de sa fille sans qu'il ne put rien y faire le rendit perplexe. Il alla vers Georgia, agita les doigts devant son petit visage auquel il finit par arracher un rire mélodieux. *Voilà, on y est, c'est fini.* Satisfait, Robert sortit de la maison.

*

« Tout est prêt ?

- Oui, Monsieur Jovignot, répondit Stella Wings.

- Je vois le cortège, s'exclama Juliana Fobert. Ils arrivent ! »

Toute l'équipe du George Palace se tenait à la réception, prête à recevoir la chanteuse, son staff et son équipe de tournage. Le maire et sa femme Linda s'étaient incrustés sans en avertir personne au comité d'accueil. Les Springs tenaient à souhaiter la bienvenue à la vedette en première ligne.

Dehors avait lieu une effervescence aux proportions de Woodburg. Une poignée de journalistes avaient fait le déplacement, ce qui n'était pas pour déplaire à Rob. De nombreux curieux rodaient aux alentours de l'hôtel. Rob soupira lorsqu'il reconnut Roberta Madden plisser ses yeux noirs derrière un appareil photo numérique capturant Dieu savait quoi, sans doute des attroupements en vue de documenter de nouvelles plaintes.

Robert distingua également la chevelure rousse Sharon Bishop, reconnaissable de loin. Elle fumait une cigarette seule dans un coin dans une pose de femme fatale qui lui allait bien. Et, plus loin, devant la vitrine de la librairie Woodbooks, Caroll Wodehouse et sa copine Eva Dubonnet emmitouflée dans un grand châle qui offrait son visage translucide aux faibles rayons du soleil pour se réchauffer, plissant ses yeux gris bleu fragiles pour apercevoir quelque chose. Gene Berlusconi, le libraire, les avait rejoint sur le pas de porte pour demander de quoi il s'agissait et avait vite fait de retourner dans sa boutique. Ella Hunter la baby-sitter avait manifestement séché les premiers cours de la journée avec deux copines pour tenter d'apercevoir la star. En tout, une quarantaine de curieux étaient rassemblés en petits groupes.

« Pas de quoi faire un procès, ma vieille », dit Rob tout seul en regardant Roberta tout mitrailler de son appareil.

Puis il y eut des cris, des exclamations, et Sonat franchi le seuil de l'hôtel après avoir signé quelques autographes.

Le maire et son épouse se précipitèrent sur la jeune femme en l'accueillant au nom de toute la ville. Rob les laissa monter leur ego en mayonnaise le temps qu'il jugea raisonnable et vint à la rencontre de la chanteuse. Il lui serra chaleureusement la main en se présentant. Du haut de ses vingts ans et de sa petite taille, Sonat dégageait un charisme surprenant pour une si jeune personne. Robert en fut subjugué, au point qu'il se maudit immédiatement de n'avoir pas pris le temps d'écouter ne serait-ce qu'une seule de ses chansons. Alors qu'elle échangeait quelques mots avec lui, il se sentait comme un con.

« C'est un véritable honneur de vous recevoir. J'adore ce que vous faites. Si vous avez besoin de quoi que ce soit, vous n'hésitez pas. Toutes nos équipes sont à votre disposition. »

Puis il salua un homme à peine plus âgé qu'elle et tout aussi petit qui se présenta sous le nom de John Fanning. Une intuition lui souffla que cet homme n'était pas exactement une partie de rigolade.

« Je suis son manager, précisa le jeune homme.

- Sentez-vous ici comme chez vous, Monsieur Fanning.

- Je ferai de mon mieux. Elles sont où nos chambres ? Il faut qu'on commence rapidement.

- Bien sûr, répondit Robert sans se dévêtir de sa bonne humeur bien qu'il sentit le sang lui monter aux tempes. Je vais vous y conduire, si vous voulez bien me suivre. »

CHAPITRE 5

A trois heures du matin, Woodburg était endormie depuis longtemps. Au coeur de la nuit de novembre, seules quelques fenêtres hébergeant des insomniaques étaient restées allumées. Et dans ses rues désertées, une vague humaine avançait dans l'ombre. Elle frappa bientôt les marches du grand hôtel.

Le veilleur de nuit se leva d'un bond lorsqu'il vit tourner les tambours, crachant dans le hall plusieurs dizaines de personnes à la suite qui filèrent en courant dans le grand escalier. Des adolescents, de jeunes adultes, et des adultes confirmés munis de caméras et d'appareils photo. L'agent de sécurité en poste dehors n'avait pas réussi à contenir l'hémorragie à lui tout seul. Il entra affolé, et cria au concierge d'appeler la police.

La marée humaine se propageait dans l'escalier.

Au dernier étage sous les toits, Natale Parlante se réveilla dans son studio de fonction. Il se rua hors de son lit. Au même moment, depuis son appartement face à l'hôtel, Ralph Hayes fut réveillé par l'alarme du Palace. Stella Wings qui résidait quelques immeubles plus loin fut également réveillée, tout comme le voisinage immédiat. Ralph sauta dans les premiers vêtements qu'il trouva et courut vers le George Palace, suivi de près par Stella.

« C'est quoi ce bordel ? hurla Ralph en courant vers le concierge.

- Je ne sais pas. Ils sont là-haut.

- QUI !?

- Une meute de gens qui vient de rentrer. On n'a pas pu les retenir.

- C'est pas vrai !!

- Qu'est-ce qu'il se passe ? criait Stella Wings qui venait d'arriver.

- Une émeute, dit Ralph. Je monte voir. Stella, vous, vous restez ici et vous faites sortir Jovignot de son lit ! »

Ralph grimpa les marches quatre à quatre.

Les intrus avaient déjà atteint l'étage où se trouvait la suite de Sonat. Les deux gardes du corps postés devant sa porte foncèrent dans le tas, en plaquant quelques uns au sol, et furent vite débordés par le nombre. Natale se jeta sur la grappe informe d'individus qui poussait de toute sa force contre la porte verrouillée de la chanteuse dont il entendait les cris effrayés de l'autre côté. Il distribua des coups à l'aveugle tandis que Ralph arrivait en renfort dans la mêlée. Puis la porte céda, et les intrus se ruèrent dans la suite. Sonat, enfermée dans la salle de bains, se recroquevilla dos à la baignoire.

Rob ouvrit un oeil. Il avait cru entendre le téléphone sonner dans son rêve. Il regarda l'heure sur le réveil. *C'est pas vrai ! Qui appelle ici à trois heures passées ?* Il songea brièvement aux parents de Brooke à Houston, hésita à aller répondre. Il sortit finalement du lit énervé et décrocha.

« Monsieur Jovignot ! criait la voix de Stella par-dessus un bruit d'alarme assourdissant.

- Stella !?

- Venez vite ! Des gens sont entrés dans l'hôtel.

- Quoi !? »

Affolé, Robert, détala en chaussons vers sa Lincoln, en enfilant son manteau par-dessus le simple caleçon et tee-shirt dont il était vêtu.

« C'est pas vrai mais c'est pas vrai !!!» répétait-il, affolé, en voyant à ses pieds tout Woodburg s'allumer, maison par maison. De loin, il distingua des véhicules de police. Leurs sirènes se mêlaient au hurlement de l'alarme. Il aperçut de minuscules silhouettes s'enfuir en courant. Robert accéléra dans la descente.

Cinq minutes plus tard, il entra en courant dans le hall. L'alarme avait été coupée. Des policiers poussaient dehors de jeunes gens menottes aux poignets. Natale Parlante, essoufflé, avait la lèvre en sang. Ralph Hayes était lacéré de griffures. Le personnel de sécurité était à bout de souffle.

John Fanning, écarlate et vêtu d'un pyjama en soie, se précipita vers Robert en hurlant.

« Vous êtes complètement inconscient ! Vous n'avez pas la moindre idée de ce que le mot sécurité veut dire. Votre hôtel est une passoire, jamais on a vu ça ! Il n'y aura pas de tournage ! On remballe tout. Et je peux vous certifier que n'est que le début des emmerdes pour vous, vous …

- John !! Stop !! »

Sonat apparut pieds nus dans le hall, se tenant au bras de l'un de ses gardes du corps que la bagarre avait privé de sa chemise. L'épaisse crinière brune de la jeune femme était en désordre, ses yeux étaient encore apeurés, sa main tremblante se serrait sur le peignoir qu'elle portait.

« Ça suffit, dit-elle au manager d'une voix douce mais ferme. Tu arrêtes ça. Oui, il y a eu des manquements à la sécurité, je suis d'accord. Mais ce n'est pas une raison pour annuler le tournage.

- Mais tu aurais pu être blessée, piétinée, pire encore !

- J'ai eu la trouille, c'est sûr. Mais je suis là et je vais bien.

- Alors retourne te coucher.

- Je vous présente mes plus plates excuses, dit Robert. Je suis navré de cet incident, c'est affreux. Ce n'est pas la première fois que notre établissement accueille une célébrité. Mais c'est bien la première fois qu'il se produit une chose pareille. Sans cela, bien sûr qu'il y aurait plus de sécurité. Mais c'est un village tranquille ici en temps normal.

- Jusqu'à ce soir, oui », éructa John Fanning avant de lui tourner le dos et regagner les ascenseurs.

Une heure plus tard, le George Palace fut à nouveau plongé dans le silence. Sonat avait été transférée dans une autre suite. Robert décida de ne pas rentrer chez lui. Il savait le reste de sa nuit foutue, il ne trouverait pas le sommeil. Il revêtit des vêtements de rechange et promena son insomnie dans la grande salle, trébuchant par endroits sur le matériel de tournage entreposé.

Il entendit des pas précipités sur la moquette et tous les lustres s'allumèrent en même temps.

« Ah, mon Dieu ! C'est vous. »

Ralph se détendit. Il était prêt à bondir sur Robert. Il avait appliqué un pansement sur son visage et un autre sur son cou. Il dégageait une odeur de lotion antiseptique.

« Merci Ralph, pour tout ce que vous avez fait ce soir.

\- Je n'étais pas tout seul, heureusement. Et la plupart des groupies avaient à peine vingt ans, ils étaient faciles à maitriser. C'était le nombre qui posait problème. Les paparazzis étaient beaucoup plus coriaces en revanche. Ils ont l'habitude.

\- Personne n'a été blessé ?

\- Des égratignures à droite à gauche, mais pas de casse. Personne n'est reparti en ambulance.

\- Dieu merci, soupira Rob. Reste à savoir comment ça a pu arriver. C'est pourtant pas la première fois qu'on accueille une chanteuse ou un acteur. Ça se passe toujours bien d'habitude. Qu'est-ce qui a merdé ?

\- Ce sont des tracts qui on circulé hors de Woodburg apparement.

\- Des tracts ? C'est quoi cette histoire ?

\- Ils auraient été déposés devant des lycées autour de Woodburg.

\- Mais il y avait quoi sur ces tracts ?

\- Juste une photo imprimée prise de loin où on voit Sonat monter les marches de l'hôtel et une ligne en-dessous qui précise qu'elle séjourne ici-même en ce moment.

- Quelle merde !

- Comme vous dites.

- Mais qui a pu faire une chose pareille ?

- Je ne voudrais pas m'avancer sans preuves, mais je dirais que c'est l'orthophoniste qui habite du côté du Country Club.

- Roberta Madden ? Mais oui quel con je suis !

- Je ne sais plus comment elle s'appelle, je sais juste que ce n'est pas exactement votre amie. Et qu'elle a pris un certain nombre de photos quand Sonat est arrivée à l'hôtel. »

*

Juliana frappa à la porte de son bureau.

« Monsieur Jovignot ?

- Oui ? »

Elle entra avec le journal à la main.

« Les agents de sécurité supplémentaires sont arrivés.

- Combien ?

- Six pour chaque ronde.

- Très bien. J'espère que ça suffira. Vous avez fait venir le menuiser pour refaire la porte cassée ?

- Il sera là en début d'après-midi.

- Le tournage a repris ?

- Oui, les techniciens ont tout réinstallé. Ils vont bientôt commencer. Monsieur Fanning m'a dit que le tournage serait terminé en milieu d'après-midi comme prévu.

- Bon, tant mieux. Il était dans quelle humeur ?

- Pas très agréable, je dois dire.

- C'est toujours mieux que très désagréable.

- Sans doute.

- Prévenez-moi quand le tournage est terminé et dites à Stella et Natale de leur faire dresser un buffet avec du Champagne dès le clap de fin.

- D'accord.

- Autre chose ?

- Oui, tenez, hésita-t-elle. C'est le journal de ce matin. »

Elle déposa à regret le quotidien sur le plan de travail et quitta la pièce comme si elle craignait que son patron explose. Son coeur s'était accéléré avant même d'en regarder la une. Il n'avait pas eu la naïveté de croire que le Daily Woods n'allait pas grassement s'emparer du sujet. Mais tout préparé qu'il y fut, la couleuvre restait pénible à avaler. Il tourna la première page pour lire l'article. Le maire s'était fait un plaisir d'accepter une interview en plein milieu de la nuit afin « d'exprimer son inquiétude après avoir lui-même géré la situation ». Rob sentit sa tête bouillir.

Il y a eu de graves manquement à la sécurité du George Palace, déclarait Rupert Springs. *Cela fait longtemps que Woodburg accueille des célébrités, notamment lors de ses festivals d'été. Mais jamais une telle chose ne s'était produite jusqu'à cette nuit. La situation a été très mal évaluée. J'ai été tiré de mon lit en pleine nuit pour gérer la crise. Fort heureusement, il y a eu plus de peur que de mal. Mais je dois souligner que cet incident a beaucoup choqué les habitants de notre paisible petite ville qui ne sentent plus en sécurité.*

« Mais bien sûr ! Les gens sont morts de trouille, ils sont cachés dans leurs caves ... » cria Rob en jetant le journal contre le mur.

*

A quinze heures passées, Juliana vint l'avertir de la fin du tournage. Rob se dépêcha de se rendre dans la grande salle où les câbles couraient encore entre les buffets couverts de mignardises. Rob enjamba les trois câbles qui le séparaient de la chanteuse qui trinquait avec son équipe.

« Félicitations, Mademoiselle. Tout s'est passé comme vous vouliez ?

- Oui, merci. C'était parfait.

- Encore toutes nos excuses pour ce qu'il s'est passé cette nuit. Cela n'aurait jamais dû arriver. J'espère que ça n'a pas eu d'impact sur le tournage.

- Pas du tout. Et vous êtes pardonné. »

Si la sincérité rafraichissante avec laquelle s'exprimait la jeune femme ne faisait aucun doute, le changement d'expression de son manager à la vue de Robert racontait une toute autre histoire.

« Monsieur Fanning, devança Rob. Je vous présente toutes nos ex...

- Présentez ce que vous voulez, trancha l'homme redevenu rouge. Je n'en resterai pas là. Ce n'est pas parce que Sonat laisse tout passer que je vais suivre comme un mouton. Attendez-vous à ce que l'affaire aille en justice.

- Si vous insistez », conclut froidement Robert.

Furieux, il marcha jusqu'au bâtiment de RJ Company et entra directement dans sa voiture. Juliana apparut à la fenêtre, étonnée. Elle lui adressa un vague geste interrogatif.

« JE REVIENS! » cria-t-il en démarrant.

Il s'engagea dans la rue principale. Il y avait beaucoup de monde dehors. De petits groupes d'habitants discutaient devant les commerces. Un groupe cessa de bavarder lorsqu'il l'aperçut au volant, lui jetant un regard noir. Dans son rétroviseur, il vit un homme pointer sa Lincoln du doigt, et ses acolytes hocher la tête. *C'est ça, jouez les indignés, ça vous va bien.*

La maison bleu ciel de Roberta Madden fut bientôt en vue. Il s'arrêta à l'angle du bloc avant qu'elle ne le voie. Elle discutait sur sa pelouse avec Gina Flare qui tenait une laisse avec un chien minuscule au bout. Un bouledogue couleur châtain, court sur pattes mais énergique, à l'image de sa maitresse. Rob attendit sans couper le moteur. L'orthophoniste monologuait avec force gestes devant une Gina Flare qui ne pouvait pas en placer une et hochait son brushing figé par la laque avec un désir manifeste d'aller finir sa promenade plus loin. Gina accéléra les hochements de tête et s'éloigna de Roberta Madden. Lorsque la femme et son chien eurent disparu, Robert prépara mentalement sa trajectoire et appuya sur l'accélérateur. Deux secondes plus tard il fit rugir son moteur dans l'allée de Roberta, prenant soin d'empiéter sur lc gazon. Celle-ci se plaqua contre sa porte, affolée. Son expression apeurée se mua en haine absolue lorsqu'elle reconnut Rob.

« Vous êtes complètement malade Jovignot ! »

Il baissa sa vitre.

« Madame Madden, fit-il le plus calmement qu'il put. J'ai compris à quoi vous jouez. Je vous conseille fortement d'arrêter ça tout de suite. Un beau jour, ça va finir par mal se passer pour vous. »

Elle croisa les bras et le fixa de ses yeux d'oiseau tandis qu'il commençait à faire marche arrière.

« Faites attention avec les menaces, Monsieur Jovignot. Je n'hésiterai pas à aller en justice. Diffamation, intimidation, j'espère que ce sont des mots qui vous parlent. »

Robert tourna et disparut moteur hurlant.

*

Ella Hunter sonna à vingt heures. Robert descendit lui ouvrir en ajustant son noeud papillon à l'aveugle. Georgia courut vers sa baby-sitter sitôt la porte ouverte.

« Bonsoir Georgia, chanta l'adolescente en embrassant la tête de la petite. Bonsoir Monsieur Jovignot, vous allez bien ?

- Oui, finalement. Après une dure nuit.

- Je suis au courant oui. Je suis désolée pour vous.

- C'est gentil. Ça va aller pour ce soir ? On va rentrer plus tard que d'habitude.

- Il n'y a aucun problème, prenez votre temps. Même si je vous avoue que cette fois-ci j'aurais préféré vous accompagner vous et votre femme !

- Ah, vous aimez Sonat ?

- Je suis super fan oui, soupira Ella.

- Je m'arrange pour vous avoir un autographe » conclut-il avec un clin d'oeil juste après quoi il se sentit tout à fait ringard.

Il remonta à l'étage. Brooke terminait de se maquiller. Ses cheveux étaient disciplinés en grosses vagues lui tombant au milieu du dos. Elle portait une longue robe de satin vert foncé. Elle était superbe, et nul n'aurait pu deviner qu'elle était souffrante. Elle ne s'était plaint d'aucun mal, d'aucun début de fièvre, mais sa voix était toujours aussi enrouée. Elle n'était pas sortie de la maison depuis que cela avait commencé et avait hésité à suivre Rob ce soir mais il avait insisté.

« Il faut vraiment que tu sois là.

- Mais je ne pourrai pas parler », avait-elle répliqué de cette atroce voix rocailleuse.

Il avait hésité à lui répondre que cela passerait inaperçu, tant elle parlait peu en temps normal. *Elle aurait tout aussi bien pu être muette.*

« On dira aux gens que tu es aphone ce soir. Et au besoin, tu murmures. »

*

Au Country Club, le cocktail de fin de tournage de la chanteuse battait son plein, en beaucoup plus feutré que ce dont la jeune femme devait avoir l'habitude. Sonat était souriante, se prêtait volontiers aux photos et autographes et ne montrait que peu de signes de fatigue. Son manager quant à lui affichait une mine tout à fait décontractée et Rob fut agréablement surpris que l'humeur de John Fanning ne vira nullement au rouge lorsqu'il vint le saluer. Il eut même l'immense surprise de voir cet homme si menaçant quelques heures plus tôt le remercier pour cette agréable soirée sans la moindre trace de sarcasme.

Robert constata avec soulagement que tout avait été organisé de main de maître par le directeur du Country Club. Les évènements de la nuit passée l'avaient empêché de trouver le temps de téléphoner à Aidan Norton pour répondre à d'éventuelles questions sur les derniers préparatifs. Malgré cela, tout avait été soigneusement orchestré.

Aidan Norton valsait partout à la fois dans la grande salle de réception boisée, en accueillant chaque convive sous le regard fier de son père John Norton. Barbara le secondait en maitresse des lieux au seuil de la salle. Linda Springs s'acharnait à l'éclipser tant qu'elle le pouvait pour s'afficher au bras du smoking de Rupert, surjouant la décontraction.

Tous les membres du Club avaient été conviés. La plupart des abonnés habitants à Samsontown avaient fait le déplacement avec leurs ados sous le bras, enfants ou petits-enfants. Ils auraient encore un argument pour convaincre leurs amis de la ville que le Country Club de Woodburg avait définitivement regagné ses lettres de noblesse et qu'il dépassait de loin celui de Samsontown. Cela valait résolument les seize kilomètres de trajet.

Andrea Perez avait été invité par Aidan à venir avec sa petite amie fan de la chanteuse. Le jeune homme avait soigneusement taillé sa moustache et discipliné ses boucles brunes avec une raie au milieu. Il se faisait le plus discret possible et insistait pour que son amie en fasse de même, lui expliquant avec fermeté que les habitués risquaient d'être dérangés qu'un employé profite de la fête au même titre qu'eux. Cela n'empêcha pas Gordon Dwight de venir trinquer avec lui en l'interpellant joyeusement de sa grosse voix.

Brooke fit ce qu'elle put pour éviter de montrer la sienne. Elle se contentait de hocher la tête en tous sens lorsque l'on venait vers elle, et de murmurer lorsqu'elle n'avait pas d'autre option. Ses interlocuteurs s'excusaient alors aussitôt de l'avoir fait parler, et lui recommandaient d'économiser sa voix le temps de se rétablir, avec force conseils de potions à base de miel, tisanes extravagantes et autres pastilles pour la gorge. Sa conversation la plus longue fut avec Barbara Norton, lorsque cette dernière vint lui demander si elle pourrait trouver le temps de venir à Marlow voir comment refaire les chambres de ses enfants.

Rob alla s'assoir un moment à l'écart dans un chesterfield avec un verre de whisky qu'il vida tranquillement, seul. *A cette soirée réussie qui a calmé les esprits.*

*

« Je vous dois beaucoup, Aidan, merci » dit-il au directeur en partant.

Aidan avait hoché la tête et avait regardé le couple Jovignot s'éloigner en réprimant un bâillement.

CHAPITRE 6

Il était fatigué, tassé de n'avoir pas assez dormi deux nuits à la suite. Cela ne ternit en rien sa bonne humeur. Il pénétra dans ses locaux et salua Juliana avant d'aller s'assoir sur son fauteuil avec la ferme intention d'en bouger le moins possible pour la journée. Il but son premier café en savourant sa victoire. La veille, Sonat était venue le remercier en personne avant de quitter la soirée.

« Mon manager s'est calmé, lui avait-elle assuré. Il n'y aura pas de poursuites. Et s'il décidait de changer d'avis comme il peut changer d'humeur, je peux vous assurer que je m'opposerai à ce qu'il y ait la moindre poursuite contre votre établissement. J'y ai passé un merveilleux moment. »

J'y ai passé un merveilleux moment, ne cessait-il de se répéter.

Puis il ouvrit son courrier.

Une nouvelle enveloppe sans timbre. Il avait jeté la première de l'autre jour et ne pouvait comparer l'écriture. *On dirait une écriture différente. Pourquoi j'ai jeté l'autre comme un débile ? Non non*, songea-t-il en collant son nez sur les lettres, *je suis sûr que c'est une autre écriture.*

« Tu vas voir, avec ta femme, sale con. Ça va mal se passer. »

Il replia soigneusement la missive et décida de la glisser dans un tiroir.

Maintenant je les garde, tant pis.

Il se releva. *Allez. Que du positif, maintenant. Tout est rentré dans l'ordre.*

Il demanda à Juliana de traverser avec lui la cour jusqu'à l'hôtel et tous deux se rendirent dans les cuisines. Natale Parlante les salua. Il avait la lèvre encore enflée, et son oeil gauche s'était cerné de noir.

« Mon Dieu, Natale … fit Rob.

- Oui c'est moche, dit le chef en souriant. Mais bon, c'est comme ça.

- Euh … oui, dit Robert, qui se sentait bien bête et inutile d'être arrivé après la bataille.

- Vous vouliez me voir ?

- Oui, pardon. Je veux que vous vous arrangiez avec Juliana pour organiser un dîner pour Aidan Norton et sa femme Barbara.

- Avec plaisir.

- Je veux le remercier d'avoir organisé la réception d'hier qui aurait dû se dérouler ici. J'aimerais leur offrir un dîner dans le petit salon privé, celui avec la cheminée. Vous pouvez proposer un menu d'ici demain et le donner à Juliana pour qu'elle leur imprime une invitation ?

- Bien sûr. Je connais bien leurs goûts, ce sont des habitués.

- Parfait.

- Autre chose ?

- Oui, je veux aussi lui faire un cadeau. Un panier avec des choses dedans. Juliana ? Je ne me souviens plus, qu'est-ce que c'était déjà ?

- Des cigares.

- Non, les cigares, c'est moi qui m'en occupe. J'irai les acheter à Samsontown. C'était quoi, l'autre chose ?

- Le whisky ?

- C'est ça, oui. Monsieur Norton m'a dit un jour qu'il était dingue de whisky japonais. Vous pensez que notre fournisseur peut nous trouver ça ?

- Je vais voir, dit Natale. Il peut fournir tous les alcools en principe. Combien de bouteilles ?

- Disons cinq ? Et prenez les meilleures, peu importe le prix. »

*

En fin de matinée, Aidan Norton raccompagna à l'accueil le banquier du Country Club après leur rendez-vous mensuel. Il se sentait une légère gueule de bois, il avait eu du mal à se concentrer. Robert l'avait épuisé avec son histoire de chanteuse la veille.

Gina Flare le croisa dans la galerie et leva la tête vers lui.

« Bonjour Monsieur Norton. Bravo pour la soirée d'hier, c'était très sympathique.

- Avec plaisir. Heureux que vous ayez passé une bonne soirée.

- Vous devriez vous reposer un peu, vous avez l'air fatigué.

- Ah oui ?

- Oui, vraiment. Vous avez mauvaise mine.

- Bon, je vais voir ce que je peux faire. Merci Madame Flare.

- A plus tard » fit-elle en s'éloignant vers son cours de pilates.

Aidan traina des pieds sur la moquette jusqu'à son bureau. Une fois la porte refermée, il se posta devant le miroir en pied et inspecta son visage. Gina Flare avait raison. Elle avait même été plutôt modérée. Il avait une mine épouvantable, des poches enflées sous les yeux. Il ne se donnait plus ses trente-sept ans mais au moins six ou sept hivers de plus. Il se détourna de son reflet et regarda sa montre. Après brève réflexion, il décida qu'aujourd'hui, il prendrait bien une heure pour lui.

Il téléphona à sa femme.

« Oui ? répondit Barbara.

- Juste pour te dire que je m'absente du bureau pendant l'heure du déjeuner. Je vais me faire une coupe au Madame, chez Lisa Alvin. Ne t'inquiète pas si je ne suis pas joignable.

- Tu as bien raison. Ça te détendra un peu. Tu salueras Lisa pour moi.

- Je lui dirai. A tout à l'heure chérie.

- A tout à l'heure. »

Il récupéra sa voiture et traversa Woodburg. Il bailla plusieurs fois en chemin.

« C'est pas grave, fit-il en consultant sa mine grise dans le rétroviseur. Je ferai une petite sieste pendant le shampooing. »

Il entra dans le Madame au moment où Rose Waterfalls en ressortait avec son carré impeccable.

« Vous ne travaillez pas aujourd'hui ? s'étonna-t-elle.

- Si. Je m'octroie juste une petite pose.

- Vous l'avez bien mérité après la soirée d'hier. Profitez bien.

- Merci Madame Waterfalls. »

Le salon était vide de clients. Lisa l'accueillit, souriante. Elle avait un physique particulier qui rendait tout verdict impossible. Certains lui trouvaient une beauté atypique quand d'autres la jugeaient franchement laide. Norton lui-même ne s'était jamais forgé d'avis sur la jeune femme aux cheveux mille fois décolorés. Elle l'installa confortablement au bac à shampoing et s'enquit de son confort.

« Très bien, Lisa. Je suis très bien. Et avant d'oublier, Barbara vous salue.

- Vous l'embrasserez pour moi. Est-ce que vous voulez un soin des cheveux après votre shampoing ?

- Euh, oui d'accord, avec joie, décida-t-il sans avoir la moindre notion de ce que cela signifiait.

- Une petite manucure avec tout ça ?

- Mais vous voulez me prendre tout mon argent ?

- Non ah ah ! C'est comme vous voulez.

- Allez, va pour la manucure. »

Si Aidan se détendit pendant le shampoing, il s'endormit presque durant ce que Lisa appelait le soin. Ce soin consistait à enduire sa chevelure d'une lotion qui sentait le muguet, appliquée au cours d'un massage du crâne fort bienvenu. Il sentait toute tension le quitter.

« Je devrais faire ça plus souvent, avoua-t-il d'une voix endormie.

- Oui, vous devriez venir avec Barbara. Je la vois plus souvent que vous. Voilà c'est fini.

- Déjà ?

- Oui, il faut laisser poser dix minutes. Reposez-vous en attendant, il faut que j'aille chercher le matériel de manucure. Je ne sais pas où mon apprentie l'a rangé. »

Lisa referma derrière elle la porte de sa remise. Aidan se laissa aller à somnoler, la tête renversée en arrière dans le bac. Il fixait le plafond, paupières mi-closes.

Bientôt, une chose l'intrigua vaguement sans qu'il ne sut exactement s'en expliquer la raison. Il sentait juste que quelque chose clochait. Il se concentra, réfléchit en examinant la surface peinte en blanc crème.

« Mais oui, c'est ça. »

Le lustre semblait avoir été déplacé sur le plafond. A Woodburg, tout le monde ou presque connaissait ce lustre extravagant que Lisa Alvin avait acheté une fortune à la galerie de Soledad Orteno, oeuvre d'un artiste forgeron bien connu de la région. C'était un grand cercle de fer noir qui devait peser au moins cinquante kilos, dentelé comme une couronne géante à l'envers, avec un bouquet d'ampoules asymétrique au milieu. Aidan était persuadé que le luminaire était placé plus au centre. Enfin, *exactement* au centre du salon carré. Le lustre avait donc été décalé mais cela n'avait aucun sens. *On n'enlève pas un lustre aussi lourd pour le déplacer de moins d'un mètre,* réfléchit-il. *C'est un vrai merdier, avec tout ce que ça implique de travaux d'électricité et de peinture. C'est complètement ridicule. Quelle idée ...* Après un bref conciliabule avec lui-même, il décida qu'il s'en foutait relativement et ferma les yeux pour de bon.

Lisa prenait son temps dans la remise. Aidan entendait un léger remue ménage étouffé de l'autre côté de la porte, comme un chat jouerait avec du papier de soie. *Son apprentie lui a préparé une chasse au trésor ma parole, je sais pas si elle va retrouver son machin un jour.* Puis le bruit cessa et Aidan glissa délicieusement vers le sommeil. *Une bonne sieste. C'est ça qu'il me faut.* A la maison, ce n'était pas possible. Sa villa à Marlow était grande mais les enfants étaient assez bruyants pour la remplir de leur écho turbulent, même depuis le fond du jardin. Et s'il arrivait à les confier à son père John, Barbara prenait le relai, en profitant pour le faire sortir dans un endroit bruyant. Ou bien l'hiver ils en profitaient pour regarder un film. Là aussi, encore du bruit. Cela ne s'arrêtait jamais. Ne restait que le silence feutré de son bureau où il n'avait cependant jamais la paix, interrompu qu'il était à chaque instant de la journée.

Il rouvrit les yeux en sursaut au moment où il avait failli s'endormir pour de bon. Et il sentit son coeur cogner dans le salon de coiffure silencieux.

L'énorme lustre avait disparu.

C'est quoi cette blague ?

Aidan entendit une voiture rouler dans la rue parallèle. Il ne pouvait pas rêver. Le lustre n'était plus là où il était quelques minutes plus tôt. Il se frotta les yeux pour se réveiller pour de bon, puis les ouvrit grand.

Le lustre n'avait pas disparu. Il s'était *déplacé.* Il grinçait sur ses attaches. Il balançait imperceptiblement ses dents noires. Juste au-dessus de sa tête. *Ce n'est pas possible, ce ...*

Aidan voulut se relever d'un coup. Il se trouva incapable du moindre geste. Comme si l'incrédulité avait rendu impossible tout mouvement. Le lustre grinça plus fort. Aidan cria. Un cri qui sortit comme un plainte. Un cri d'enfant enfermé par mégarde dans le noir. Il sut, dès lors. Il voulut se déchaîner, mobiliser toutes ses forces pour s'extraire de sa paralysie. Et le lustre se décrocha.

Le fracas fût terrible. Une chute lourde aux éclats d'émail, une chute de fer qui vibrait comme une cloche fracassée au sol d'une tourelle. Affolée, Lisa Alvin s'éjecta hors de la remise et accourut au milieu la boutique. Les jambes de la coiffeuse flanchèrent quelques secondes plus tard, lorsqu'elle fut sûre d'avoir bien compris ce qu'elle avait vu.

Pendant ce temps, la tête tranchée d'Aidan Norton continuait de rouler, instable, dans le bac à shampoing.

*

Les curieux affluèrent devant le Madame, attirés comme des mouches par les sirènes des secours. Sandro Chung avait été le premier à accourir depuis sa boutique de chaussures d'en face. Il en était resté pâle comme un drap et depuis, restait figé sur le trottoir. Ce fut finalement Stuart Chelgrin qui alerta les secours depuis son magasin l'Avenue. Soledad Orteno était restée sur le seuil de sa galerie et avait fondu en sanglots d'effroi lorsqu'elle avait su ce qu'il s'était passé. Melanie Hunter aussi resta plantée comme un drapeau devant son commerce, stupéfaite. Ivan Harford s'empressa de fermer sa bijouterie pour tenter de disperser les curieux et laisser la place aux secours. Lisa Alvin fut la première à être évacuée aux urgences de Samsontown en état de choc. Le cadavre décapité d'Aidan suivit quelques minutes plus tard, recouvert d'une bâche.

La police en était encore à interroger des témoins ahuris lorsque Rob arriva sur les lieux, alerté par l'agitation qui régnait près de ses bureaux en rentrant de déjeuner. Le périmètre du salon de coiffure était saturé.

Il s'approcha de l'attroupement et interpella Stuart Chelgrin qui s'évertuait à disperser les badauds.

« Stuart, qu'est-ce qu'il se passe bon sang !?

- Il y a eu un accident au salon de Lisa Alvin.

- Un accident ?

- Le lustre s'est décroché. »

Robert se souvint du lustre monstrueux resté longtemps sans acquéreur au Phenomenal. Et Stuart enchaîna.

« Il est tombé sur la tête d'Aidan Norton.

- Excusez-moi ?

- Aidan Norton. Il est mort sur le coup. »

Rob sentit ses jambes se dérober sous lui et porta la main à sa bouche.

« Je suis désolé » dit Stuart.

Rob passa par différentes couleurs avant que l'affolement ne déborde sur le choc. *Brooke, Georgia ... Il ne faut pas qu'elles voient ce carnage.* Il ne savait pas où était sa femme. Elle ne lui avait pas fait part de son emploi du temps pour la journée. *Il ne faut pas qu'elle aille chez Soledad avec la petite.* Il tenta de joindre Brooke sur son portable. Pas de réponse.

Il sauta dans sa voiture et se mit en route vers la maison. Il rappela en route sur le téléphone fixe. Il entendit bientôt la voix cassée de sa femme.

« Robert ? C'est toi qui vient d'appeler sur mon portable ?

- Oui, c'était moi.

- Excuse-moi, j'étais sous la douche.

- D'accord. J'arrive à la maison là. Attends-moi. »

Il raccrocha et jeta le téléphone sur le siège passager. *Pourquoi elle prend une douche en début d'après-midi ?* Mais à l'horreur ce que qu'il avait à lui annoncer, cela n'avait aucune importance. Les Norton étaient des amis.

« Georgia dort, c'est l'heure de sa sieste », annonça Brooke lorsqu'il arriva dans le salon.

La pièce était paisible, la lumière dorée des appliques rendait le foyer chaleureux, le séjour décoré comme si aucun drame ne pouvait jamais avoir lieu.

Pourtant Brooke paraissait inquiète, avant même d'avoir vu le visage décomposé de son mari. Elle n'avait pas eu le temps de sécher ses cheveux encore humides. Rob perçut soudain une odeur étrange, doucereuse, qui planait dans la pièce.

« Qu'est-ce qu'il y a, Robert ? dit-elle de sa voix caverneuse.

- Aidan Norton a eu un accident. Il est mort. »

Brooke agrandit ses yeux incrédules, interrogateurs. Comme si elle attendait que son mari se tape sur la cuisse de cette bonne blague, fine et pleine d'esprit. Mais Rob garda le visage grave, l'expression douloureuse. Brooke s'assit au ralenti sur le canapé, livide.

« Rob ... Comment c'est arrivé ?

- Il était chez Madame. Et le lustre de Lisa Alvin lui est tombé sur la tête.

- Mon Dieu ... »

Sa voix déformée se tut. Ses yeux s'embuèrent sans couler, se couvrirent d'une pellicule d'eau restée en suspension. Rob s'assit à côté d'elle et la prit dans ses bras.

Le visage collé aux cheveux humides de Brooke, Rob se mit à renifler. D'abord doucement, puis plus fort. L'odeur étrange qu'il avait senti en entrant semblait venir de sa femme. *Ça n'a pas de sens. Elle vient de prendre une douche.* Il reconnut les effluves de son savon parfumé, de son lait pour le corps à la rose, et son eau de Cologne de Guerlain.

Mais il y avait une odeur inhabituelle *en-dessous*, sur sa peau.

CHAPITRE 7

Lorsqu'il descendit pour le petit déjeuner, il entendit sa fille pleurer dans la cuisine. Assise sur sa chaise haute, bavoir tâché de compote autour du cou, Georgia repoussait de sa main potelée la cuillère que lui tendait sa mère.

« Mange, Georgia, mange » disait Brooke d'une voix gutturale.

Et la petite criait de plus belle, et repoussait sa mère des deux mains.

Rob s'arrêta net au seuil de la cuisine. Une odeur planait, la même odeur étrange, encore plus forte que la veille. Une odeur rance et douceâtre, légèrement écoeurante, une odeur qui n'appartenait à rien de connu et qui semblait pourtant appartenir à sa propre femme.

« Chérie, ça va ? » demanda-t-il.

Pour toute réponse, Brooke haussa les épaules.

La porte de la cuisine donnant sur l'extérieur s'ouvrit et Mary Fine referma derrière elle avec sa clé. La femme de ménage salua le couple Jovignot et eu un froncement de nez. Elle balaya la pièce d'un air interrogateur en reniflant discrètement. *Elle la sent aussi.* Très vite, Mary fit semblant de rien et alla vers Georgia qui tendait les bras vers elle comme une bouée dans la mer.

Elle prit la petite et la berça sous le regard contrarié de Brooke. Georgia, calmée, se mit à sucer son pouce, la joue collée contre la poitrine de Mary.

« J'y vais, je prendrai mon petit déjeuner à l'hôtel », annonça Rob.

Sans qu'il ne sut expliquer pourquoi, il avait eu hâte de partir de chez lui.

*

La mort accidentelle d'Aidan Norton fit la une du Daily Woods. Le fait divers était repris, moins tapageur, dans toutes les gazettes locales et quotidiens de la région.

Au Country Club, les habitués allaient et venaient à leurs habitudes. Comme un jour normal, à cela près qu'ils s'arrêtaient lorsqu'ils croisaient un habitué qu'ils connaissaient pour discuter quelques secondes du sort funeste du directeur, s'attardant un moment sur la tristesse de la chose avant de s'occuper de leur bien-être.

Au premier étage, Andrea Perez massait le grand corps pâle et maigre d'un Bruce Flare particulièrement loquace ce jour-là. Le visage du riche retraité enfoncé dans le coussin de la table de massage, Andrea Perez avait l'impression de converser avec une masse de cheveux gris bien peignés qui s'épanchaient sur son patron décédé.

« Quand même, c'est terrible, monologuait-il. Vous vous rendez compte ? Même pas quarante ans ! Et mourir aussi bêtement ... Comme quoi il peut vraiment arriver tout et n'importe quoi. Quand je pense à sa femme Barbara, la pauvre ... Et il a quoi, deux, trois enfants je crois ? Pauvres gosses. Ils devaient adorer leur père. Oui ... difficile de ne pas aimer un type pareil. Toujours sympathique, égal d'humeur, de bonne composition. Ma mère me disait toujours que ce sont les meilleurs qui partent en premier. Avec le temps je dois bien admettre qu'elle avait raison. Sacré Aidan, je me souviens quand son père lui a passé les rennes du Club, je peux vous dire qu'il ne faisait pas le malin. Oh et c'est amusant, un jour en arrivant ici, il a ...

-   Excusez-moi, Monsieur Flare, coupa Andrea. Pardon de vous couper mais je n'ai plus d'huile. Je vais en chercher.

-   Bien sûr, faites. »

Le jeune masseur quitta la salle et se précipita vers le premier cagibi du couloir. Enfermé avec les serviettes propres à l'odeur d'adoucissant et les lotions de soins, n'y tenant plus, il se mit à pleurer. Aidan Norton avait été un exemple pour lui, un mentor et un modèle. Il l'avait aimé comme un frère aîné. Et il ne le verrait plus jamais.

*

Le coeur de Rob battait à mesure que s'allongeait la tonalité. Il pensa soudain à Kristen Brown-Ward. Barbara Norton était la deuxième veuve à qui il dut téléphoner en moins d'un mois. *J'ai horreur de ça ...* Il sentit des larmes dans la gorge de son interlocutrice lorsqu'elle décrocha.

« Barbara, je suis sincèrement désolé, dit-il. Je ne sais pas quoi dire.

- C'est gentil, Robert. Merci. L'enterrement aura lieu à Marlow après-demain. Je ne peux pas trop parler, on m'appelle et ...

- Je vous en prie. Nous serons là.

- A bientôt. »

Il se laissa le temps de souffler avant de téléphoner chez lui. Ce fut Mary Fine qui décrocha.

« Madame Fine, est-ce que ma femme est à la maison ?

- Oui, elle est dans son bain. »

Encore ? Perplexe, il laissa trainer un blanc.

« Monsieur Jovignot ?

- Oui, pardon Madame Fine. J'étais distrait. Euh … pouvez-vous juste lui dire que l'enterrement d'Aidan Norton est pour après-demain ?

- Entendu. Ce sera tout ?

- Oui, merci. »

Enfin, j'espère, ajouta-t-il pour lui-même. Il raccrocha et se leva. Il devait se rendre au Country Club. Le temps d'embaucher un nouveau directeur, il n'avait d'autre choix que d'endosser provisoirement le rôle de son ami décédé.

CHAPITRE 8

Il était exténué lorsqu'il rentra chez lui. Il avait dû annuler son dîner avec Gordon Dwight au Terroir après avoir passé les deux derniers jours à gérer les affaires du Country Club en plus de celles de RJ Company. Il n'avait pas encore dîné et se laissa tomber sur le canapé après avoir accroché son manteau.

Brooke se matérialisa au seuil du séjour. Elle avait les yeux rouges. Elle était pâle et reniflait.

« Chérie ? Qu'est-ce que tu as ? »

Il vit deux larmes couler sur les joues de sa femme. Elle se cacha le visage d'une main et craqua. *Qu'est-ce qu'il lui arrive ? Elle ne pleure jamais devant qui que ce soit.* Rob se leva immédiatement et l'attira contre elle. Il manqua de peu de reculer par réflexe. Il avait oublié cette odeur des derniers jours que Brooke transportait avec elle comme une aura pourrie.

« Dis-moi ce qui ne va pas. »

Elle serra ses bras autour de lui et parla de sa voix malade, grave et rauque, qui elle aussi allait en empirant de jour en jour.

« Je n'en peux plus. Je ne suis pas sortie depuis trois jours. J'ai cette odeur sur moi qui ne part pas. J'ai tout essayé. J'ai passé ces trois derniers jours à me laver, à **essayer** tous les savons, à me frotter, à m'asperger de tous mes flacons de parfums. Ça masque l'odeur une heure ou deux, et puis ça revient. J'ai la peau à vif à force de frotter. J'ai même fait venir un médecin à la maison hier après-midi.

- Quel médecin ?

- Je ne me souviens plus de son nom. Un généraliste de Samsontown qui se déplace à domicile. Je ne voulais pas contacter le Docteur Chastain, j'avais trop honte de sentir mauvais.

- Tu aurais dû, pourtant. Et qu'est-ce qu'il t'a dit, ce médecin ?

- Il a dit que ça pouvait arriver, que ce devait être hormonal, que ça allait partir comme c'était venu ... mais c'est toujours là... »

Rob ressentit un soulagement malvenu. Il n'avait pas osé parler à sa femme de l'odeur inhabituelle et indéfinissable qu'elle dégageait depuis trois jours. Il avait bien réfléchi à une manière délicate d'aborder le sujet mais n'en avait trouvé aucune qui lui avait paru convenable.

« Je ne pourrais jamais aller à l'enterrement d'Aidan Norton demain, dit-elle de sa grosse voix. Je n'ai plus une seule goutte de parfum.

- Ecoute, dit-il en la prenant par les épaules. Je pense qu'il faudrait voir un autre médecin mais suis sûr que ce n'est rien. En attendant, fais-moi confiance. Tu pourras venir à l'enterrement demain. J'ai une idée, d'accord ? »

Elle acquiesça tristement. Il s'éloigna et reprit son manteau.

« Je reviens », dit-il avant de claquer la porte.

Il redescendit en ville. Négociant les virages d'une main, il sortit son téléphone de l'autre et contacta le cabinet de leur généraliste de Samsontown. La secrétaire du Docteur Chastain lui proposa un rendez-vous au cabinet pour le lendemain après-midi. *Parfait.* Il enfonça l'accélérateur et conduisit jusqu'à la rue des magasins de luxe. Il s'arrêta devant l'Avenue, chez l'ami de Brooke, Stuart Chelgrin.

Ce dernier était encore visiblement marqué par la mort d'Aidan Norton. Il avait des poches sous les yeux et le teint livide. Il s'étonna cependant de voir Robert entrer dans sa boutique.

« Bonsoir Robert. Que puis-je pour vous ?

- J'aurais voulu du parfum. C'est pour Brooke.

- Désolé, je ne vends pas de parfums. Il y en a chez Melanie Hunter si vous voulez.

- Au Shopper ?

- Oui, c'est la seule boutique qui vende du parfum à Woodburg.

- Bon, on en apprend tous les jours. Merci quand même Stuart. »

Rob rebroussa chemin à contrecoeur. L'idée d'aller acheter du parfum pour son épouse chez une commerçante qui ne la portait pas dans son coeur ne lui inspirait rien. Il n'avait plus le temps de se rendre dans une grande enseigne de Samsontown. Les magasins seraient fermés le temps de faire le trajet. Il n'avait pas d'autre choix.

D'abord surprise de le voir entrer dans son commerce, Melanie Hunter lui adressa un bonsoir mielleux. Un sourire en coin lui dessina une fossette lorsqu'il s'empara de trois flacons de parfums féminins choisis au hasard. Elle ne le quittait pas de ses yeux noirs et perçants.

« Tout se passe bien avec Ella ? dit-elle en lui tendant ses achats emballés. C'est une bonne baby-sitter ?

- Votre nièce ? Oui, ma fille l'adore.

- Vous m'en voyez ravie.

- Merci. Bonsoir. »

Il s'empressa de repartir.

CHAPITRE 9

L'assemblée se recueillait sous les dernières feuilles d'automne. Tous les habitants du petit village de Marlow s'étaient déplacés dans son cimetière, et de nombreux habitants de Woodburg avaient rejoint cette bourgade voisine pour rendre un dernier hommage ému à Aidan Norton.

Barbara se tenait au bras du père de son mari, John Norton. Tous deux s'évertuant à rester dignes et droits, les yeux dissimulés derrière des verres noirs. Les trois enfants d'Aidan, eux, étouffaient leurs pleurs le visage dans les mains.

Andrea Perez se recueillait en retrait, les yeux cernés où le rouge sang se mêlait à sa couleur de thé noir. Natale Parlante s'était soustrait à ses cuisines pour assister à la mise en terre de cet homme qu'il avait toujours apprécié. Tous les clients réguliers du Country Club étaient présents, à l'exception des Waterfalls en déplacement qui avaient toutefois pensé à faire livrer une immense gerbe de fleurs tristes avec leur nom inscrit en gros caractères.

Brooke demeurait blottie au bras de Robert, serrant les lèvres, visage fermé. Elle sentait très fort le parfum et s'en aspergeait discrètement à intervalles réguliers. Rob n'avait pas l'habitude que sa femme ne s'agrippe ainsi à lui, ce qui acheva de le bouleverser à la descente du cercueil dans la terre.

Andrea Perez craqua en silence lorsque le cercueil toucha le fond.

Brooke n'avait pas remis les pieds dans la villa des Norton depuis qu'elle en avait décoré chaque pièce quelques années plus tôt. Rob la sentit troublée d'y revenir ainsi à la mort de son propriétaire, au milieu des tables dressées avec des rafraichissements et des plateaux de petits fours. Les Jovignot ne restèrent que peu de temps dans la maison en deuil.

Brooke étreignit les mains de Barbara en guise d'au revoir, tout en conservant une distance prudente. Les Jovignot furent les premiers à quitter la maison des Norton. Ils marchèrent le long du bois vers la Lincoln de Rob et prirent la direction de Samsontown.

*

Rob patienta dans la salle d'attente faussement chaleureuse tandis que le Docteur Chastain examinait Brooke. Ses mains moites collaient aux pages des magazines cornés par les patients. Il reposa les revues sur la pile et se contenta de regarder les voitures passer sur l'artère principale de la ville.

La porte du cabinet finit par s'ouvrir et le médecin invita Rob à entrer. Il s'installa à côté de sa femme en attendant le verdict, n'osant pas la regarder. Il lui prit simplement la main et la serra dans la sienne tandis que le docteur Chastain faisait le tour de son bureau pour s'assoir.

« Monsieur Jovignot, vous allez repartir rassuré, avec une épouse en parfaite santé.

- Vraiment !? »

Rob regarda tour à tour le Docteur Chastain et sa femme comme si ces deux-là étaient complices d'une mauvaise blague. Mais Brooke affichait un pâle sourire qui le rassura. Rob poussa un profond soupir. *Formidable.*

« Mais alors, que se passe-t-il Docteur ?

- Concernant le problème de voix, cela va se résorber tout seul. C'est juste une irritation de la gorge au niveau du larynx, à peine visible avec mon matériel. Rien de grave donc.

- Et pour ... pour le reste ?

- Pour les odeurs corporelles dont se plaint votre épouse, il n'y a pas de réelle explication. Cela peut se produire. Comme le lui avait dit mon confrère, il est probable que ce soit un déséquilibre hormonal. Rien de bien méchant non plus. C'est désagréable, mais pas permanent. Je lui ai prescrit un traitement de courte durée pour ces deux symptômes, et tout devrait rentrer dans l'ordre d'ici quelques jours. »

Robert se sentait plus léger lorsqu'il franchit la sortie de Samsontown avec Brooke à ses côtés. *Le médecin l'a dit : tout va rentrer dans l'ordre.* Lorsqu'il passa le premier rond point, il fit soudain un demi tour complet vers Samsontown et reprit la direction du centre-ville.

« Qu'est-ce que tu fais ? s'étonna Brooke.

- On va aller chercher ton traitement dans une pharmacie d'ici. Ça te va ? »

Brooke acquiesça. Dorothy et Jim Cherval qui tenaient la pharmacie WB-Care de Woodburg avaient beau être des gens avenants et sympathiques, Robert n'avait pas envie de porter à leur connaissance les soucis hormonaux de son épouse.

CHAPITRE 10

Installé dans le fauteuil de son ami disparu, Rob mettait de l'ordre dans les dossiers de la direction du Country Club. Il était tellement concentré sur les données qu'il devait assimiler qu'il sursauta quand son portable vibra dans sa poche. L'écran affichait le nom de son avocat.

« Spencer, comment vas-tu ?

- Très bien !

- Autant d'enthousiasme ? En quel honneur ?

- Tu te souviens du grand projet auquel tu ne croyais plus ? »

Rob quitta les bilans des yeux et se redressa.

« Ne me dis pas que …

- Si, mon grand.

- Oh mon Dieu ! »

Depuis des années, Rob rêvait de racheter et rénover le petit immeuble inhabité mitoyen au cinéma Lumières, non seulement pour installer des salles de cinéma supplémentaires, mais surtout pour y accueillir un festival de cinéma au coeur de l'hiver lorsque Woodburg manquait d'animation. Depuis tout ce temps, le vieil homme qui possédait le bâtiment désaffecté refusait obstinément de le vendre. Il résidait pourtant à

Hartford et, d'après ce que Robert en savait, ne mettait jamais les pieds dans les environs.

« Voilà, dit fièrement Spencer Billings. RJ Company va enfin pouvoir racheter cette ruine.

- Comment tu as fait pour que le vieux change d'avis !? C'est incroyable !

- Calme-toi, je n'y suis absolument pour rien. Le propriétaire est décédé il y a quelques mois.

- Ah ? fit Robert, dont l'entrain fut légèrement refroidi.

- Bon il avait quand même quatre-ving-seize ans.

- Belle performance en effet.

- Tu l'as dit. C'est sa famille qui m'a contacté en retrouvant nos offres d'achat successives dans ses papiers. Les héritiers veulent absolument se débarrasser de cette bâtisse décrépie dans les plus brefs délais. Ils sont prêts à signer dès que possible. Je peux me déplacer cet après-midi à Woodburg pour te faire signer la paperasse avant d'aller les voir à Hartford.

- Génial, dit Robert. Enfin une bonne nouvelle. Ça faisait longtemps. »

Il raccrocha et se rassit, aussi heureux que dépité de se trouver là où il était. *Mon Dieu, Aidan ...*

Il décida de chasser sa tristesse en téléphonant à Brooke pour lui annoncer la bonne nouvelle avant de prévenir ses équipes de RJ

Company qu'une réunion imprévue aurait lieu cet après-midi. Sa femme avait semblé se porter mieux ce matin-là, bien que son odeur ne se fut pas encore évaporée.

Ce fut Mary Fine qui répondit. Cette dernière avait dû courir pour décrocher car sa voix était légèrement essoufflée.

« Monsieur Jovignot ?

- Madame Fine ? Tout va bien ?

- Oui oui ça va, mais il y a un petit souci … »

Les paroles de la femme de ménage furent couvertes par un crissement de pneus aigu sur le parking du Country Club. Une portière claqua violemment. Rob se précipita à la fenêtre qui donnait sur le parking et leva une latte de store. Mais la personne qui venait de sortir de la voiture avait déjà disparu.

« Madame Fine, je vous rappelle tout de suite. »

Des pas furieux martelaient le sol. Ils se dirigeaient vers le bureau de la direction. Bientôt, la porte s'ouvrit à la volée sur Barbara Norton, méconnaissable. Elle était décoiffée, la mine ravagée par le chagrin et la colère, si bien que Rob, l'espace d'un instant, se demanda s'il s'agissait bien là de la veuve d'Aidan. Discrètement, une poignée de membres du personnel mêlés à des habitués avaient cessé toute activité pour suivre ce qu'il se passait.

Certains d'entre eux allèrent jusqu'à se poster derrière la porte du bureau restée ouverte.

« Où est Brooke ? cracha Barbara.

- Ma femme !?

- Oui, votre femme ! Cette salope n'est pas chez elle ! »

Rob ne comprenait pas. *Qu'est-ce qu'il lui prend ? Elle est tarée ?* Un instant de stupeur total, il pensa à une plaisanterie. Il ne put s'y résoudre en vue des circonstances. Et encore moins lorsque Barbara Norton se mit à hurler :

« Où est cette pute !!? »

Rob demeura coi. Stupéfait. La beauté volcanique de son interlocutrice venait d'exploser. Barbara avait l'air d'une démente capable de cracher des flammes. Elle haletait de rage. Au bout de longues secondes suspendues, elle parla d'un ton plus calme d'où perçait une fureur contenue à grand mal.

« Vous saviez que mon cher mari disparu avait une liaison votre femme ? »

Rob faillit s'étrangler. Son coeur se mit à battre à toute vitesse. Il manqua de trébucher et se rassis sur le fauteuil.

« La police m'a restitué le téléphone portable d'Aidan ce matin. J'ai pu avoir cette belle surprise en jetant un oeil à ses messages. Pour l'anecdote, sur ce même fauteuil sur lequel vous venez de vous assoir, votre femme a largement pris ses aises avec mon mari. C'est pour ça qu'il ne répondait jamais au téléphone le matin. »

Barbara fixa Rob pétrifié en silence. Le visage de la veuve changea progressivement d'expression, passant de la colère absolue à la honte de s'être donnée ainsi en spectacle. Digne, elle releva le menton, se retourna, et s'éloigna en écartant sur son passage les curieux qui n'avaient même plus la décence de se cacher.

*

Il sentait son cerveau en sang. Il remontait la colline vers la villa aveuglé de rage. Il avait la bouche sèche et suait abondamment. *C'était ce fils de pute depuis le début.* Aidan Norton, le mystérieux correspondant de sa femme. *Tout ce temps, ce connard que je considérais comme un ami ! Il se foutait de ma gueule tous les matins de la semaine. Mais tant mieux qu'il ait crevé !* Il ressentait la même fureur que Barbara quelques minutes plus tôt, l'épouse trahie lui avait repassé le virus de l'effroyable colère.

Il manqua de fracasser la porte d'entrée en l'ouvrant comme un dingue. Georgia éclata aussitôt en sanglots depuis son parc en bois installé dans le salon. Et Mary Fine, plus blanche qu'un linge, accourut à sa rencontre. Rob l'ignora et chercha Brooke au rez-de-chaussée. Il l'appelait, d'une voix rugissante. Dans son enclos à bébé, sa fille redoubla de larmes. Rob monta les escaliers jusqu'à leur chambre vide. Mary lui emboîta le pas en courant.

« Où est ma femme !? hurla-t-il à Mary en saisissant une lampe qu'il fracassa au sol. En bas, Georgia hurlait.

- Calmez vous Monsieur Jovignot !

- Que je me calme !? Tenez ! Regardez ça, regardez bien et prenez des notes ! Vous voyez ? »

Il ramassa le pied de la lampe et l'envoya contre le miroir mural du palier qui éclata en morceaux. Puis il fit un pas dans la chambre et renversa tous les objets décoratifs se trouvant sur la commode.

« Voilà pour sa petite maison parfaite de magazine ! Tout ça c'est du carton !Maintenant dites-moi où elle est ! Vous êtes en papier mâché vous aussi ?

- Non Monsieur. Je ne vous dirai où est votre femme que lorsque vous vous serez calmé. Vous faites peur à votre enfant. »

Rob écouta les pleurs de sa fille au rez-de-chaussée et son coeur se tordit. *Merde, quel imbécile, c'est vrai. Allez respire. C'est entre toi et Brooke. Personne d'autre. Reprends le contrôle, tu es hystérique.* Il respira fort, sous l'oeil sévère de son employée de maison qui lui tenait tête avec témérité malgré sa crise de folie. Bien qu'il se sentit plus proche du taureau prêt à charger qu'à un expert en méditation un peu énervé.

« C'est bien, dit Mary. Respirez. Je reviens. »

Elle disparut vers la cuisine et remonta aussitôt avec un verre d'eau glacé. Rob en but d'une gorgée et envoya le reste du verre sur son visage brûlant. *Bien ça. Très bien.* Mary Fine l'interrogea du regard. Rob hocha la tête. *C'est bon on peut lâcher les fauves, je suis CALME*, rugit-il intérieurement. Alors la femme de ménage lui fit signe de la suivre. Elle marcha jusqu'à la porte du dressing, laissa Rob planté devant, et redescendit s'occuper de Georgia.

Rob ouvrit. Il reconnut immédiatement l'odeur rance qui l'étourdit un instant. Brooke était assise devant le miroir de sa coiffeuse, l'air effarée. *C'est quoi ce bordel ?* Il recula d'un pas lorsqu'il vit le reflet rouge de sa femme dans le miroir. Sa peau irritée était recouverte de boutons minuscules. Cela ressemblait à une rougeole en plus concentré, une éruption cutanée sauvage où aucun centimètre de peau n'était épargné. Il fut saisi d'une pulsion de fuite à l'idée que cette chose puisse être contagieuse. *Et si c'était grave ? Si elle nous refilait ça à moi et à la petite ? Non, ça fait longtemps qu'on serait tombés malade ... Mais quand même ... qu'est-ce que c'est que cette merde*

? Il n'était plus seulement furieux, il était dépassé, ne sachant plus ce qui l'emportait désormais, entre la colère et la peur.

La voix de Mary Fine apaisant les pleurs de sa fille au rez-de-chaussée finit par le ramener au réel.

« Qu'est-ce que t'as ? lâcha-t-il d'une voix glaciale.

- Je crois que c'est un effet secondaire des médicaments que le docteur a prescrit. Et qui ne marchent pas. »

Au son de la voix de Brooke et à l'odeur écoeurante qui emplissait la pièce, l'inefficacité du traitement ne fit aucun doute. Robert resta dans l'encadrement de la porte, enfouit son visage dans une main tremblante d'impuissance. Brooke le regarda faire.

« Je te laisse. Je dois retourner travailler, » lâcha-t-il froidement.

*

Ne sois pas parano. C'est pas ce que tu crois. C'est n'importe quoi.

En traversant Woodburg, en direction de RJ Company, il avait eu la sensation que chaque personne qu'il avait croisée l'avait dévisagé, d'avoir tous les regards du monde plantés sur sa misérable personne.

« Juliana, dit-il à son assistante, faites venir tout le monde dans mon bureau, c'est important.

- Tout de suite ? Mais là …

- Oui, coupa-t-il. Tout de suite. »

*

Ça recommence, pensa-t-il. Tous le fixaient du même regard perplexe. Juliana, Stella, Ralph et son vieux comptable Jordan Miller. *Raisonne-toi. Ils sont juste surpris d'être convoqués à une réunion imprévue. Ils ne se foutent pas de toi. Tu n'as pas une pancarte de cocu autour du coup. Les cornes c'est dans ta tête. Personne ne les voit.* Sentant que son attitude inspirait un certain malaise à ses employés, Rob s'éclaircit la voix.

« Je voulais vous annoncer que le projet de festival de cinéma va finalement pouvoir voir le jour. RJ Company va racheter sous peu le bâtiment annexe au cinéma Lumières.

- Génial ! Enfin ! » s'écria Juliana avec un enthousiasme exagéré.

Jordan eut un hochement de tête satisfait qui déplaça une mèche cache-misère sur sa calvitie.

« J'ai appris la nouvelle tout à l'heure par le cabinet Billings. Il faudra faire un point avec notre architecte Matthew Norbert au plus vite pour les plans.

- Et s'il est trop occupé avec le chantier du Country Club ? demanda Stella Wings.

- Alors il faudra qu'on embauche un autre architecte. Cela ne pourra pas attendre, dès que ... »

La porte du bureau s'ouvrit à la volée et Spencer Billings, rouge d'excitation, vint s'asseoir autour de la table sur la chaise qui restait.

« Me voilà, dit-il. J'ai tous les papiers pour la signature, dit l'avocat essoufflé.

- Très bien, tu peux les poser sur la table, on verra ça après. »

Spencer s'exécuta, légèrement dérouté par le changement d'humeur de Rob depuis leur dernière conversation téléphonique. Rob poursuivit.

« En attendant, il faut établir un budget de rénovation. A vue de nez pour l'instant puisqu'on n'a pas encore l'état des lieux. Il faut tout prendre en compte pour que je vois les banquiers au plus vite. Je vous laisse plancher sur une estimation et je veux un rapport demain. »

Tout le monde le regardait, stupéfait, Spencer Billings compris.

« Pour demain, ce ne sera pas possible », hasarda Stella Wings.

Rob bondit de son siège et frappa du poing sur la table. Jordan et Stella sursautèrent de concert.

« Comment ça pas possible !? hurla Robert. Qu'est-ce que vous avec tous à me faire chier aujourd'hui ! C'est quoi le problème !? Le problème c'est que vous êtes une bande de bras cassés incapables de faire ce qu'on vous demande ! Vous avez craqué ou quoi !? Faites bien attention, personne n'est irremplaçable ! Demain c'est pas possible !? Et en quel honneur demain c'est pas possible !? Vous vous croyez chez mamie !? Mais je vais vous renvoyer chez vos mères à grand coups de pieds au cul oui ! Le motif ? Oh mais c'est parce que demain c'est pas possible ! »

La tablée entière avait blêmi à mesure que Robert avait hurlé. Personne, pas même Jordan et Spencer à ses côtés depuis ses débuts n'avaient jamais entendu Rob crier, encore moins se mettre dans un état pareil. Juliana s'était mise à sangloter. Tout le monde le fixait, atterré. Lui-même ne se reconnaissait pas. *Merde, qu'est-ce qui me prend ? Je deviens fous c'est pas possible.*

« En fait, fit Spencer d'une toute petite voix. Demain, c'est Thanksgiving. »

Quel con mais quel con …

Robert se rassit lentement dans un silence de mort, devant les regards consternés.

« Bien, dit-il, je me suis un peu emporté, excusez-moi. Vous pouvez disposer. Je vais signer les papiers avec Maître Billings. »

Ses employés se levèrent et partirent à reculons, comme dans la crainte d'un nouvel accès d'hystérie. Spencer Billings étala les papiers le long de la table et appliqua son index là où Rob devait signer. Il s'exécuta à la chaîne, sous le regard anxieux de son ami.

« Viens Rob, dit Spencer en remettant les exemplaires signés dans sa serviette. On va faire un tour dehors. »

Ils marchèrent jusqu'à la digue désertée par les derniers promeneurs. Le jour tombait, recouvert de lourds nuages. Le lac semblait remplit d'eau noire. Spencer s'assit sur un banc, imité par Robert, puis sortit une cigarette qu'il alluma avant de tendre le paquet de Marlboro à son ami.

« T'en veux une ? »

Rob hocha la tête et glissa une cigarette entre ses lèvres. Spencer la lui alluma et Rob toussa trois fois avant d'aspirer sauvagement la fumée de sa première cigarette depuis des années. Il avait arrêté de fumer depuis l'ouverture du George Palace. Ils fumèrent sans rien dire. Spencer écrasa son mégot et croisa les mains entre ses genoux en se penchant vers les reflets du lac.

« Qu'est-ce qu'il se passe Rob ? »

Rob secoua la tête. Il avait soudain l'air d'un adolescent en plein désarroi, rentré de l'école après y avoir été humilié. *Gros Robert, sale plouc.* Il écrasa son mégot à son tour et exhala longuement la fumée.

« J'ai de gros problèmes conjugaux.

- Je vois.

- Voilà …

- Tu comptes quitter Brooke ? »

Spencer laissa son ami renifler et soupirer à plusieurs reprises.

« Non.

- D'accord. Quelque soit ton choix, je suis toujours avec toi. Tu le sais ? »

Rob hocha la tête en ravalant les larmes qui avaient failli lui échapper. Il eut un petit hoquet à la place.

« Justement, dit-il, tu ne m'en veux pas si on ne vient pas chez toi pour Thanksgiving demain ?

- Mais pas du tout, fit Spencer en abattant une main amicale sur son épaule qu'il se mit à secouer gentiment. Ça en fera plus pour les autres !

- Okay », renifla Rob avec un sourire triste.

CHAPITRE 11

Ce soir de fête fut particulièrement froid. Le thermomètre frôlait le zéro. Nombreuses âmes solitaires des environs y avaient échappé pour rejoindre leur famille dans d'autres états, au soleil pour les plus chanceux.

Ce n'était pas le cas d'Andrea Perez, qui aurait dû rendre visite à sa mère au Texas comme chaque année. Il était cette fois-ci resté à Samsontown où les parents de sa petite amie l'avaient invité à se joindre à eux. Il mangeait par politesse, sans appétit. Attablé derrière une profusion de nourriture, le jeune homme contemplait cette famille qui n'était pas la sienne, abattu, hanté par la mort d'Aidan, répondant au mieux aux questions peu subtiles de sa belle famille concernant ses projets d'avenir.

Quelques pâtés de maisons plus loin dans un quartier résidentiel plus élégant, Spencer Billings expliqua à sa soeur pour la septième fois que Rob et Brooke Jovignot ne pouvaient se joindre à eux cette année.

« Mais pourquoi ?

- Ils ont d'autres plans pour cette fois-ci. Ils viendront l'an prochain, arrête de me gonfler. »

Plus près de Woodburg, à Marlow, les guirlandes sur la façade des Norton clignotaient comme si de rien n'était. Il fallait mettre un pied à l'intérieur pour sentir le deuil. Les parents et la soeur de Barbara, ainsi que son beau-père John étaient venus avec leurs propres plats et avaient eux-mêmes dressé la table. Barbara garda le silence, assise en bout de table, lâchant un vague sourire pour ses enfants de temps en temps.

L'ambiance était toute autre chez les Springs. Le maire de Woodburg et son épouse reçurent des cousins venus de Montréal en grande cérémonie, ravis de leur montrer l'ampleur de leur réussite. Leurs deux enfants étaient parfaitement peignés, et la vue sur *leur ville* à mi-hauteur de la colline s'était dégagée l'espace d'une heure entre deux nuages.

« Je ne contrôle pas encore la météo, avait plaisanté Rupert. Mais ça viendra bientôt. »

Plus Modestement, Norma Blank avait invité sa famille du Colorado à remplir son Bed and Breakfast Welcome. Elle avait convié Roberta Madden au dîner, comme chaque année.

Lorenza Page dînait chez Bruce et Gina Flare. Elle aurait nettement préféré être invitée chez les Waterfalls, mais ils s'étaient absentés cette année, sans doute pour passer les fêtes à Houston avec les amis des Mathis, les parents de Brooke. La villa des Waterfalls était plus agréable et il n'y aurait pas eu cette marmaille insupportable de petits-enfants qui couraient partout. La veuve noya sa déception dans le vin que ses hôtes n'avait pas trop mal choisi.

« Lorenza, fit Gina. Mon Dieu ! Avec tous ces préparatifs et mes petits-enfants qui ont envahi la maison comme une tornade, je n'ai pas eu le temps de vous appeler avant. Vous êtes au courant pour Brooke Jovignot ?

- Oui, elle a trompé son mari avec Russel Brown. Vous me l'aviez dit à la soirée de remise du prix.

- Mais j'ai du nouveau depuis. Il n'y pas eu que Russel Brown, figurez-vous. »

Lorenza reposa le verre qu'elle allait porter à ses lèvres.

« Comment ça ?

- Elle s'est aussi tapé Aidan Norton.

- Pas possible ! »

Et Lorenza Page, dès cet instant, ne regretta plus d'être venue.

Dans la demeure voisine, moins tape à l'oeil, Rick et Eva Dubonnet avaient fait venir leurs parents et frères et soeurs, ainsi que leurs amis Alfred et Caroll Woodehouse avec leurs deux ados, les Woodehouse n'ayant plus guère de famille. Les Dubonnnet et Woodehouse, eux aussi, se délectèrent de cette rumeur sur les Jovignot qui n'en était plus une.

« Quand je pense que je leur ai vendu mon terrain, si j'avais su ce qu'ils en feraient, feignait de se lamenter Eva.

- N'y pensez plus dit Caroll, ce n'est pas votre faute.

- Le pire, intervint Rick Dubonnet, c'est qu'aujourd'hui c'est son foutu practice de golf avec un nouveau bâtiment, mais quand ce sera terminé, qu'est-ce que ça va être encore ? Ce type-là a la folie des grandeurs. Il ne s'arrêtera pas là.

- Bien sûr ! appuya son épouse. Ça va continuer, il aura toujours une nouvelle idée, un terrain ou une maison à racheter pour faire Dieu sait quoi. Et jusqu'à quand !?

- Nous veillons au grain, ma chère, dit Alfred. Caroll et moi, nous n'en sommes à pas à notre première procédure pour stopper ses projets de mégalo. »

Eva acquiesça pour la forme, sans grande conviction. Pour ce qu'elle en savait, tous les procès engagés contre RJ Company étaient restés vains jusqu'ici.

« Enfin, dit Caroll, satisfaite, sans doute qu'avec ses déboires conjugaux notre petit frenchie va avoir la main moins lourde. Ça ne doit pas rigoler là-haut dans le petit royaume Jovignot.

- Ça c'est sûr ! D'après Mary Fine, il y a de l'eau dans le gaz. Et pas qu'un peu !

- Oh, racontez un peu ! s'exclama son amie en battant des mains. »

Eva Dubonnet broda quelques banalités. En vérité, elle n'en savait rien. Elle aimait juste se vanter d'employer la même femme de ménage que les Jovignot. Mary arrivait au domicile des Dubonnet au moment où Eva partait donner ses cours de yoga à Samsonstown. Et chaque fois qu'elle tentait de soutirer des informations à Mary Fine sur les Jovignot, cette dernière restait plus qu'évasive, rechignant manifestement à donner la moindre information sur ses patrons. La seule chose qui lui avait échappé avait été un mot sur son appréhension lorsqu'elle se rendait au sous-sol pour dépoussiérer la collection de vieilles armes que George Hansen avait léguée à Robert. Les armes n'étaient pas chargées et étaient placées dans une vitrine fermée à clé, mais la femme de ménage avait toutefois les armes en horreur. Mais sitôt l'information lâchée à Eva Dubonnet, Mary Fine avait paru le regretter et repris son repassage dans un mutisme buté jusqu'à ce qu'Eva parte travailler.

« Incroyable, quand même, dit Caroll, tout ce que le vieux Hansen a légué à un étranger.

- Faut pas s'étonner que les neveux Hansen lui collent un procès au cul après, ajouta son mari. Sérieusement, qu'est-ce qu'il lui trouvait à ce campagnard de Jovignot ?

- Il y a sans doute des choses qu'on ne sait pas, dit Eva.

- Comme quoi ?

- Je ne sais pas ... Mais un jour j'ai entendu dire que Robert Jovignot était le gigolo de George Hansen.

- Je n'y avais jamais pensé ! s'écria Caroll Woodehouse. C'est quand même sacrément tordu.

- On ne le saura jamais. Mais moi, ça ne m'étonnerait pas », fit Eva en haussant les épaules.

Dans le centre ville, la pizzeria Casa Tomas était le seul restaurant à ouvrir ce soir-là, proposant un repas spécial. Il n'y avait pas grand monde, mais Adriana et Fabio Alemne avaient décidé qu'ils ouvriraient leur établissement aux couleurs blanches et vertes pour inviter tous les sans famille fixe de Woodburg qui autrement auraient passé seuls le soir de Thanksgiving. Le couple avait ainsi rassemblé des petites tables au centre de leur restaurant afin d'en former une grande qu'ils avaient décoré avec soin. Fabio accueillait les convives de son sourire éclatant, chaleureusement installés à table par son épouse qui avait revêtu une longue jupe couleur citrouille fendue sur ses jambes fines.

Tonya Jen avait été la première à s'assoir, sa haute silhouette fièrement enveloppée d'une robe en soie moulante. La gérante du Beauty B n'avait pu rendre visite à sa famille à Boston cette année. La fermeture provisoire du salon concurrent après l'accident ayant coûté la vie à Aidan Norton l'avait empêchée de partir. Elle avait dû récupérer la clientèle du Madame qu'elle faisait tout pour persuader de ne pas retourner chez sa rivale lorsqu'elle reviendrait, remise de ses émotions. Pour ce qu'elle en savait, Lisa Alvin était encore hospitalisée. C'était tout à fait satisfaisant.

En face de la coiffeuse, Jean-Jacques Gontrand et Roy Christiansen, s'étaient vus contraints de fermer le Terroir et l'Hemingway Café pour ce soir. Adam Connor, était quant à lui arrivé dès la fermeture de sa boutique de pêcheur qui n'avait pas vu le moindre client de la journée. Le vieil homme veuf et sans famille s'était réjoui de l'idée de ses amis italiens.

Ralph Hayes avait lui aussi accepté l'invitation. En congé forcé, le directeur financier du George Palace n'avait eu aucune envie de retourner en Californie. Il s'épargnait un voyage inutile, sachant que son ex-femme ne le laisserait pas voir son fils.

Adriana Alemne avait laissé trois places vacantes pour Marina Chang et ses deux petites-filles à qui elle avait promis de traverser la rue pour venir manger des glaces italiennes pour le dessert.

Tous trinquèrent joyeusement une fois assis, comme une famille dépareillée.

« C'est drôle, avait dit Jean-Jacques Gontrand, à peu de choses près, on pourrait croire qu'on tient un congrès des restaurateurs de Woodburg. Il ne manque plus que Henry Modino du Steak House, Erik Hayder du Crawfish.

- Pas tout à fait, dit Fabio Alemne. Tu oublies Peter Rook, du restaurant Mexicain.

- C'est vrai.

- Et Natale Parlante aussi ! dit Roy.

- Il travaille à l'hôtel ce soir, fit Ralph.

- Tant mieux », dit Adriana à voix basse à son mari.

Ralph fit semblant de rien. Mais il avait vu la grimace qu'elle avait eue. Contrarié par cette réaction concernant son collègue, il termina son verre de Lambrusco. Il n'appréciait pas Natale Parlante, mais ils se trouvaient dans le même vaisseau.

Personne n'était venu rendre visite à Antonia Hansen pour Thanksgiving. Pas l'ombre d'un neveu pourtant si concernés par sa fortune. Elle somnolait lorsque Rob vint la voir, veillée par un infirmier qui avait exigé de Robert une somme monstrueuse pour s'occuper d'elle ce soir-là. Il était venu les mains vides car il n'avait pas été autorisé à lui apporter à manger. Antonia s'était vite rendormie, épuisée, après avoir échangé quelques bribes de mots avec lui.

Rob resta assis à son chevet. Il avait tout son temps. Impuissant, il contempla le profil fané de cette seconde mère qui allait disparaître un jour ou l'autre, trop vite pour lui. George Hansen avait laissé un vide sidéral en quittant ce monde et cette demeure. Bientôt viendrait le tour de sa veuve. *Je ne pourrais même plus passer devant cette maison, ça fera trop mal.* Les souvenirs dont elle était imprégnée étaient si riches et heureux qu'il en aurait le coeur en miettes.

C'était ici, dans le grand salon, qu'il avait retrouvé Brooke après l'avoir cherchée partout. Il y avait presque onze ans jour pour jour, Rob avait organisé la première parade de Noël depuis des années à Woodburg à lui seul dans l'espoir de revoir la jeune fille. Lorsqu'il l'avait finalement aperçue applaudissant les chars chargés de guirlandes, le temps d'aller à sa rencontre, elle avait de nouveau disparu.

Désespéré, il s'était alors confié à George Hansen sur cette fille mystérieuse dont il ne connaissait que le prénom, qu'il voyait partout et ne trouvait nulle part. Il se souvint de ses battements de coeur furieux lorsque les yeux de George avaient fini par s'agrandir. *Mais bien sûr, Brooke Mathis*, avait-il dit. Il ne la connaissait que de trop loin pour assouvir pleinement la curiosité de Robert. Tout ce qu'il savait était que la jeune femme était originaire de Houston, et qu'elle séjournait souvent durant les vacances chez les Ward, parents d'une amie d'enfance. George avait ouï-dire que Brooke Mathis était brouillée avec ses parents qu'il avait déjà croisés ici et là dans le milieu des affaires. Pour ce que George en savait, la jeune fille vivait chez les Ward et travaillait à droite à gauche chez des amis de la famille après avoir refusé que les parents de Kristen ne lui payent l'université.

Puis George Hansen avait eu cette idée qui avait changé sa vie. Il invita les Ward pour le réveillon du nouvel an, et ces derniers vinrent avec leur fille Kristen accompagnée de Brooke qui séjournait chez eux. Rob se souvint du trac monstre qu'il avait eu ce soir-là. Il avait été angoissé toute la journée. *Et si elle ne venait pas ? Et si George s'était trompé, avait confondu cette Brooke avec une autre ? Et si c'était fini, que je ne la revoyais jamais ?* Il sentait tout se tordre dans son ventre, son front transpirant à mesure que les invités des Hansen investissaient la grande maison. Et il avait manqué de défaillir lorsque Brooke avait finalement franchi la porte.

Ce soir-là, il l'avait revue, enfin. Il avait mis sa timidité de côté pour parler avec elle, poussé du coude par son bienfaiteur. *Je repars demain,* lui avait-elle dit. *Je reviendrai sans doute l'été prochain.* Dès le lendemain, encouragé par George, il avait commencé à oeuvrer à la renaissance du festival oublié de musique pour l'été suivant, afin de s'assurer qu'elle revienne.

Tout ça pour ça, se dit-il, revenu au présent. Aujourd'hui, il se sentait dépassé, pitoyable. Et terriblement seul.

Il embrassa le front d'Antonia et repartit.

Il ne rentra pas chez lui, où il avait laissé sa femme et sa fille regarder des dessins animés avec pour menu de Thanksgivung un bocal géant de pop corn et des sachets de guimauve, le tout arrosé de chocolat chaud. C'était au George Palace qu'il avait décidé de passer la soirée à travailler, espérant y trouver une forme de trêve dans son cauchemar éveillé.

*

Il jeta un oeil à la salle du restaurant en se débarrassant de son manteau. Il se félicita de la voir remplie de familles venues séjourner ici pour Thanksgiving. Le feu brûlait dans la grande cheminée, et un pianiste tiré à quatre épingles jouait au milieu de la salle.

*

Tard dans la soirée, Natale Parlante profita d'un moment d'accalmie pour quitter sa cuisine quelques minutes avant de lancer la première salve de desserts. La soirée toucherait bientôt à sa fin, et elle avait été éprouvante. Il enfila un pull à col roulé et sortit face au lac qu'il contempla en allumant une cigarette. Il fut surpris de voir Rob le rejoindre en chemise, grelottant.

« Beau travail ce soir, Natale. La salle est pleine. J'ai goûté un peu de tout les plats tests par-ci par-là en fin d'après-midi, c'était délicieux. Peut-être que les penne à la truffe devraient être sur le menu permanent.

- Pourquoi pas. Ravi que ça vous ait plu. ... Mais vous ne devriez pas être en famille ce soir ?

- Oh, fit Rob, balayant l'horizon noire d'un geste faussement nonchalant. J'avais décidé de travailler un peu pour changer. Et puis je ne suis pas américain, à la base. Thanksgiving, pour moi, c'est sympa mais bon ... »

Le chef italien acquiesça en aspirant une bouffée. Rob, lui, exhalait de la vapeur.

« Je peux vous en prendre une ?

- De ? ... Oh ... Oui bien sûr. Servez-vous. »

Natale regarda son patron allumer maladroitement sa Marlboro. C'était la première fois qu'il le voyait fumer. *Il a craqué complet*, pensa-t-il en retournant à la contemplation des vagues fâchées par le vent.

« Natale, est-ce que ça va ?

- Pardon ?

- Je veux dire, excusez-moi mais ... fit Rob, maladroit. Vous n'avez pas l'air très joyeux.

- Ah non ?

- Non. Enfin ce n'est que mon avis. Et-ce que tout va bien ?

- Oui. Très bien.

- Vous êtes sûr ? »

Natale haussa les épaules. *Qu'il se mêle de sa vie lui un peu ...* Mais Rob semblait insister.

« Dites-moi ce qui vous tracasse.

- C'est toutes ces familles réunies dans la grande salle, ça me donne un peu le mal du pays, concéda Natale.

- Je vois », fit Rob, pensif.

En réalité, il ne voyait pas. Lui n'avait jamais ressenti ce manque de la terre natale. Au point que depuis qu'il était revenu de son voyage express en France, il n'avait même pas pensé à répondre aux mails de sa soeur. C'était pourtant avec Claudine qu'il correspondait le plus régulièrement en temps normal, au moins une fois par semaine. Il avait tout simplement oublié. *Est-ce que je suis un monstre ?* Il réfléchit à la question. *Et si j'étais un monstre, en vrai ? Et si tout ce qui m'arrive était largement mérité ? Et si c'était ma propre monstruosité qui avait engendré celle de ma femme ?*

Il sentit son mégot lui brûler les doigts et s'en débarrassa dans le cendrier sur pied.

« Prenez des vacances, suggéra-t-il à Natale. Rentrez voir votre famille en Italie pour Noël.

- Non, pas cette année.

- Pourquoi pas ?

- Parce que, soupira le chef, mes équipes font du beau travail, mais pas encore au point que je les laisse s'occuper des repas de fin d'année sans les superviser.

- Vraiment ?

- Vraiment, oui. Ce serait mettre à mal tout ce pourquoi j'ai travaillé si dur depuis le début. Je ne peux pas me permettre de prendre ce risque.

- Et l'an prochain ?

- L'an prochain, ça devrait aller. Je pense que je pourrais m'autoriser à rentrer pour le réveillon. Mais pas cette année.

- C'est vous qui voyez, Natale.

- Merci quand même de me l'avoir proposé. »

Puis Natale retourna à sa cuisine et Robert à son errance.

Il repassa devant la salle du restaurant qui se vidait peu à peu en songeant qu'il n'avait rien mangé. Il n'avait pas eu faim. Il traversa le bar où quelques jeunes consultaient leurs téléphones portables avachis sur les fauteuils club tandis que les plus vieilles générations commandaient des tisanes et des digestifs. Il passa son chemin et traversa une galerie déserte tapissée de moquette à motifs de velours rouge sombre. Tout au bout, accroché au milieu du pan de mur, le portrait le George Hansen le regardait. Rob s'approcha à pas lents du tableau qu'il avait insisté pour faire peindre quelques années auparavant. Le vieil homme avait mis de la mauvaise volonté à poser, rendant difficile la tâche du peintre. Jusqu'à ce qu'Antonia ne soit venue le recadrer en exigeant de lui qu'il cessât de gesticuler. Sans doute était-ce la raison pour laquelle George Hansen avait sa tête des mauvais jour immortalisée dans la peinture.

Rob sentit son coeur se gorger d'amertume. Indigeste. Le visage malicieux de son père spirituel qu'il ne verrait plus jamais qu'en peinture était insoutenable à regarder. Il allait en détacher les yeux lorsqu'en pensée une image vint s'imprimer par-dessus le portrait de son mentor. Le sosie de la station service à l'enseigne au néon racoleuse *Ouvert Tous Les Jours 24/24.* Rob fut pris d'un rire nerveux. Il revit la copie conforme de George Hansen en salopette à la cigarette coincée derrière l'oreille. *Hey ! Petit ! Tu veux faire un voeu ?* Fit en écho la voix de l'inconnu. Il revit la serpillère sur le carrelage immaculé. *Est-ce que tu veux faire un voeu ?* Les dents écartées du vieil homme à l'oeil espiègle. Un regard comme George pouvait en avoir lorsqu'il taquinait Antonia. *J'aimerais bien que ma femme arrête de me tromper.* Soudain, Robert cessa de rire.

« Putain ... » fit-il tout haut dans la galerie vide.

Ça aurait pu marcher ? Ce serait ça ? Son souhait hasardeux qui aurait rendu Brooke malade au point de ne plus pouvoir continuer ses rendez-vous avec Aidan ? *Et bordel, oui ... Russel ...*

« Oh mon Dieu, Rob, calme-toi », chuchota-t-il.

Son coeur battait à rompre sa poitrine. Une bataille mentale paralysante de stupéfaction, entre l'irrationnel et le palpable. Il n'avait jamais souhaité la mort de personne. *Personne n'a tué personne ...* C'était vrai. Personne n'avait rien fait. *Mais si c'était ça ?*

Si j'avais fait une connerie ?

Cinq minutes plus tard, emmitouflé dans son manteau, chauffage réglé au maximum dans sa voiture, Rob prit la sortie de Woodburg.

*

La Lincoln de Rob était le seul véhicule à sillonner les rubans d'asphalte à travers les plaines et les forêts cette nuit-là. *Cette nuit, je suis le seul imbécile sur la route.* Cela faisait une heure qu'il roulait pleins phares dans la direction de New York, se souvenant que la station essence se trouvait à environ une heure de trajet de Woodburg. Il se concentra dans les intersections brumeuses, plissant les yeux sur chaque panneaux éclairés par ses phares aveuglants. Je vais bien tomber dessus. Elle était sur le chemin. Je ne peux pas la louper.

Il freina brusquement en plein milieu de la route et se mit à rouler au pas. Il avait reconnu le bâtiment et ses néons agressifs. Il tremblait un peu en approchant du local. Il gara sa voiture et en sortit, accueilli par un vent inhospitalier. Il entra dans la boutique vide de clients. Il reconnut tout de suite le jeune homme qui lisait un magazine près de la caisse. Ce dernier le salua mollement, en levant à peine les yeux de sa lecture. Rob marcha directement vers les rayons du fond et parcourut le magasin. Le vieil homme n'y était pas. Peut-être prenait-il sa pause. Rob revint vers le comptoir.

« Oui ? fit le jeune homme sans lever les yeux vers lui.

- Où est votre employé qui passe la serpillère ? »

Rob aurait voulu rembobiner la seconde d'avant. Il avait parlé avec trop d'excitation dans la voix. *Je vais passer pour un dingue.* Le garçon baissa son magazine d'un geste extrêmement lent et haussa un sourcil.

« L'employé qui quoi ?

- Le vieux monsieur qui passe la serpillère, fit Rob plus calmement, mais sans rien perdre de son impatience.

- Pourquoi ? C'est pas propre par terre ?

- Hein ? … Ah si. Oui oui mais je ne parle pas de ça. Je cherche le vieux monsieur qui fait le ménage ici.

- Ah bon ? fit l'employé, les yeux perdus dans un vide sidéral.

- Oui, insista Robert sans trop le brusquer. Un homme d'un certain âge.

- Je ne vois pas de qui vous parlez, je suis désolé. Il n'y a que moi et mon frère ce soir. Il est derrière dans l'atelier mais il est plus jeune que moi donc ça peut pas être lui.

- Et votre patron ?

- Il est pas là ce soir. Mais il a à peine la quarantaine donc c'est pas lui que vous cherchez.

- Ah ...

- Vous vous êtes peut-être trompé d'endroit, conclut le jeune homme en reprenant sa lecture.

- Sans doute, répondit Rob à la couverture du magazine. Bonsoir. »

Il sortit du local et rentra dans sa voiture. Il resta un instant à observer la boutique et l'extérieur de la station. *C'était bien là pourtant, aucun doute.* Agacé, il desserra le frein à main et redémarra.

Quelques kilomètres plus loin dans la nuit, l'énervement passé, il se frotta les yeux et pris conscience de l'absurdité de cet aller-retour nocturne en plein Thanksgiving.

« Qu'est-ce qu'il t'a pris, Robert Jovignot ? T'es un grand malade mon pote. »

*

Il entra dans le vestibule sans un bruit. Il était trois heures du matin. Brooke s'était endormie dans le profond canapé. Son irruption cutanée semblait se résorber. Elle tenait Georgia pelotonnée contre elle, mère et fille enveloppées en pyjama dans une longue couverture en laine. Le saladier de pop corn ne contenait plus que quelques miettes collées au fond par le sucre, et les sachets de bonbons avaient été consciencieusement vidés de leur contenu. En sourdine, le DVD de Dingo aux Jeux Olympiques, encore en marche, projetait des reflets bleus sur leurs visages assoupis.

PARTIE III. PIECE OF SHIT
CHAPITRE 1

« Alors Ducon, ça arrange bien tes affaires la mort d'Aidan Norton ? Pauvre cocu, tu fais de la peine », disait le mot doux reçu au bureau par cette fraiche matinée pleine de brume.

Debout derrière son bureau, Rob ouvrit le tiroir où il avait conservé la précédente lettre anonyme et compara les écritures. Le procédé était le même, l'enveloppe avait été postée depuis Woodburg, mais l'écriture semblait différente. Rob examina l'une et l'autre. *Le papier et l'encre ne sont pas le mêmes mais ça ne veut rien dire. Je suis con, je n'aurais pas dû jeter la première lettre.*

Il plaça les deux plis anonymes dans le tiroir et s'assit pour éplucher le reste du courrier. *Il faut avancer maintenant.*

L'état de Brooke s'était amélioré. Lui tentait de canaliser ses rancoeurs car il jugeait que ce serait pour le mieux. *Si je n'ai pas foi en l'avenir personne ne l'aura à ma place. Ça va aller maintenant.*

Il regardait un livre de comptes avec Ralph Hayes lorsqu'on frappa à sa porte.

« Entrez. Bonjour Stella. »

La directrice commerciale resta dans l'entrebâillement. Revenue de vacances à San Diego, elle avait le teint hâlé.

« Bonjour. Pour vous dire que je dois avoir le Daily Woods au téléphone au sujet du futur festival de cinéma. Est-ce que vous avez des choses en particulier à …

- Non, pas tout de suite là je dois faire un point urgent avec Ralph. C'est quand ce coup de fil ?

- D'ici trente minutes.

- Très bien, je fais vite et je vous rejoins. »

Vexée, Stella s'apprêtait à refermer la porte lorsqu'elle fut percutée par Juliana Fobert qui était arrivée à toute vitesse un téléphone à la main.

« Merde, Juliana ! Fais attention à ce que tu fais un peu ! Un vrai bulldozer !

- Pardon pardon », dit cette dernière sans la moindre note de sincérité dans la voix.

L'assistante écarta Stella de son passage en tendant le téléphone à Robert :

« C'est l'architecte, annonça-t-elle. C'est urgent ».

Inquiet, Rob s'empara du combiné.

« Matthew ?

- Robert, le chantier est bloqué, dit Matthew Norbert.

- Bloqué ? Comment ça bloqué !?

- Le mieux c'est que vous veniez, criait l'architecte, excédé.

- J'arrive tout de suite.

- Je vais vous conduire », intervint Ralph en se levant d'un bond lorsque son patron eut lancé le téléphone contre le mur.

*

« Qu'est-ce que c'est que ce bordel ! »

Rob palissait à mesure que Ralph se rapprochait du chantier. Sous le crachin, un attroupement qui semblait de plus en plus large vu de près.

« Je me gare là, dit Ralph, ce serait risqué de s'approcher de trop près. On ne sait pas à qui on a affaire. »

Il coupa le moteur à une centaine de mètres de la masse d'individus. Les deux hommes marchèrent en direction du chantier d'un pas vif.

Une vingtaine d'ouvriers en combinaison de travail discutaient de manière plus ou moins agitée avec une cinquantaine d'individus extérieurs au chantier. Quelques femmes se trouvaient parmi les intrus. Tous arboraient sur leurs vêtements un motif identique, une mappemonde en forme de coeur. Rob reconnut le logo des Planet Partners.

« Ah fait chier ! »

Les manifestants bloquaient l'accès au chantier. Les utilitaires chargées de matériel et les ouvriers ne pouvaient pas accéder à l'ouverture, bloquée par un grand van portant le logo de l'association.

Une poignée d'ouvriers et de militants s'étaient assis à l'écart à même le sol, débraillés, visiblement après en être venus aux mains. Les plus vindicatifs des deux camps étaient retenus par leurs pairs pour limiter les dommages physiques.

« Qu'est-ce qu'ils nous font maintenant ceux-là … »

Les Planet Partners étaient déjà venus manifester sur la baie de Woodburg en juillet de l'année précédente, distribuant des tracts et des ballons en plastique à l'effigie de la planète aux enfants avec un message contre le tourisme de masse plutôt disproportionné pour Woodburg. Cependant, la manifestation s'était déroulée dans le calme avec un esprit bon enfant. Aujourd'hui, les militants semblaient agressifs, à la limite de se comporter comme les Wolf, autre association dont Woodburg avait déjà fait les frais, et connue pour être beaucoup moins diplomate.

Matthew Norbert se fraya un chemin jusqu'à Rob et Ralph qui approchaient.

« La police arrive, annonça-t-il. »

L'architecte était furieux. Rob entendit les sirènes au loin et se retourna. Derrière lui était apparu un autre attroupement de curieux. Roberta Madden était de la partie. *Quelle mouche à merde celle-là c'est pas vrai !* Il crut également reconnaitre un reporter du Daily Woods, et distingua deux personnes qu'il n'avait jamais vues équipées de caméras.

De l'autre côté, la tension était palpable. Rob vit un jeune ouvrier empoigner un militant par le col devant lui. Sans réfléchir, il s'avança et entreprit un geste pour les séparer.

« Ecoutez, la violence n'est jamais une … »

Un poing dont il ne distingua pas le propriétaire lui arriva sur la tempe. Il recula, sonné. Ralph s'en mêla aussitôt, se jetant sur l'ouvrier de Matthew et lui retenant les bras.

« Ecoutez, la police arrive. Ne faites rien, je vous promets, ça ne vaut pas le coup et ça va vous créer des problèmes. »

L'ouvrier fit un signe de tête, se dégagea brusquement et fit un pas en arrière, soufflant comme un taureau. Il garda son calme.

Quatre voitures de police arrivèrent. Une quinzaine de manifestants s'enfuirent aussitôt de toutes parts avant que les agents ne mettent un pied hors de leurs véhicules.

Les manifestants eurent aussitôt ordre de se disperser et de regagner leur van. La moitié restante obtempéra dans le calme. L'autre resta campée devant le van, refusant d'obéir. Les policiers se chargèrent de les embarquer eux-mêmes. Rob assistait à la scène, planté comme un piquet inutile au milieu, encore étourdi par le poing perdu. Il eut l'impression d'assister à un spectacle flou dont il ne comprenait pas l'intrigue. Il fut incapable de mesurer les temps, il voyait tout au ralenti, transi sur place tandis que Ralph, l'architecte et quelques ouvriers venaient en aide aux forces de l'ordre à l'effectif insuffisant pour intercepter rapidement les derniers rebelles. Il entendait des bribes de menaces. *Ça ne se passera pas comme ça ! Vous verrez ! On reviendra ! Aujourd'hui n'était qu'un avertissement !* Scandaient les agitateurs une fois embarqués.

Rob revint à la réalité une fois la police partie et les ouvriers en route vers le chantier du bâtiment. Seul l'attroupement de curieux était resté planté derrière lui et avait eu le temps de grossir. Rob se rendit compte qu'il tremblait légèrement et transpirait en même temps. *Allez, reprends-toi, merde !*

Il alla vers son architecte qui discutait avec Ralph. Les deux hommes étaient légèrement essoufflés, leurs respirations sortant en vapeur brûlante. Matthew Norbert se tenait les reins, il avait dû faire un mauvais mouvement ou être percuté durant la charge policière.

« Ça va aller Matthew ? s'enquit Rob.

- Oui c'est rien. C'est plus de mon âge ces histoires-là.

- Je ne sais pas ce qui leur a pris. Ils sont pacifiques d'habitude.

- Il me semblait bien aussi. Peut-être que c'est ce chantier qui les a particulièrement excités.

- On dirait. Je vais m'occuper dès aujourd'hui de faire équiper cet accès d'un système de surveillance avec alarme. A vrai dire je ne comprends même pas comment je ne l'ai pas fait avant.

- Bonne idée, dit l'architecte en se massant l'épaule.

- Ça ne se reproduira plus, promit Rob. J'y veillerai. »

*

Ralph conduisait en silence. Les deux hommes n'avaient pas ouvert la bouche depuis qu'ils avaient quitté le chantier.

« Ralph, lâchez-moi là s'il vous plaît. Je vais descendre.

- Maintenant ? »

Ils en étaient à la moitié du chemin. Et à quelques pas de chez Antonia Hansen.

« Oui, maintenant. Je vous rejoins au bureau. J'ai besoin marcher un peu.

- Bien, » dit Ralph en coupant le moteur.

L'infirmier de jour lui ouvrit la porte.

« Bonjour. Comment va-t-elle ?

- Mal, j'en ai peur.

- C'est à dire ?

- Que son état se dégrade de jour en jour. Je crains qu'elle n'en ait plus pour longtemps.

- Merci », souffla-t-il en se dirigeant vers la chambre médicalisée.

La vision de la veuve de George lui confirma le pronostic. Rob dut s'assoir rapidement. Une faible respiration granuleuse s'échappait des lèvres desséchées de la vieille dame dont le visage ne semblait plus qu'un squelette dissimulé sous une infime pellicule de peau malade.

« Mon Dieu, Antonia... » soupira-t-il, abattu.

Il prit l'une de ses mains devenues rigides et crochues dans les siennes et lui parla doucement. Il lui dit tout ce qu'il lui passait par la tête, se confiant comme si c'était la dernière fois. Georgia, Brooke, les affaires, les souvenirs. Les yeux fermés, Antonia ne réagissait que par de faibles spasmes inconscients. A mesure qu'il parlait, un rayon de soleil froid de midi qui avait percé le brouillard se propageait sur le lit de la malade, jusqu'au milieu de son visage. L'ombre de Robert ne suffisait plus à l'abriter de ce rai désagréable. Il se leva pour aller rabattre les rideaux de dentelle.

Lorsqu'il se retourna, il eut un sursaut.

Antonia s'était redressée dans le lit. Elle s'était assise, le dos droit. Elle avait l'air morte. Morte et assise. Rob demeura figé. Puis Antonia, bien vivante, pour peu de temps encore, remua les lèvres, et parla d'une voix que Rob ne lui connaissait pas, un râle douloureux, agonisant.

« Ta femme ne va pas, Robert.

- Pardon ? Qu'est-ce que ...

- Ta femme ... est ... une horreur.

- Antonia, mais qu'est-ce que vous racontez ? »

Pour toute réponse Antonia retomba sur ses oreillers. C'était comme si elle n'en avait jamais bougé. Comme si cette brève manifestation de non-mort n'avait jamais eu lieu. Et elle respirait de nouveau, de ce souffle malade. D'un geste peu assuré, Rob lui caressa doucement la tête où les cheveux gris s'étaient raréfiés.

Puis il referma doucement la porte et s'en alla à pied en résistant à l'envie de courir sur le bitume à moitié givré.

*

Il remonta à la villa plus tôt que d'habitude, dès que la nuit fut tombée en fin d'après-midi. Ce n'était pas sa journée. Il n'avait pourtant aucune envie de rentrer chez lui, mais se sentait terriblement fatigué. *Je vais s'allonger un moment, ne plus rien faire de la journée. Pour une fois dans ma vie. Enfiler ce jogging qui traîne au fond du placard et qui ne sait même plus comment je m'appelle.*

Lorsqu'il entra, il entendit Georgia remuer dans son parc. La petite jouait en tapant sur une panthère en peluche avec deux cubes en bois.

« Papa » dit-elle en tapant maladroitement des mains.

Il lui embrassa l'oreille et fit mine de la mordre. Georgia se laissa retomber dans le parc en se tordant de rire.

« Je reviens mon bébé, dit Rob en quittant le salon. Brooke ? »

Pas de réponse. Sa femme n'était pas au rez-de-chaussée. Il ôta son manteau et monta les escaliers. Il reconnut l'odeur arrivé au palier, rance et forte. *Oh non c'est pas vrai.* Il entendit une respiration essoufflée dans leur chambre, quelque chose comme des pleurs. Il ouvrit la porte à la volée.

C'était bien sa femme qui pleurait, ses grands yeux bleus effrayés et rougis, ses long cheveux poisseux de transpiration tombant derrière ses épaules. Sa silhouette recroquevillée de désespoir.

Brooke était couverte de cloques. Des cloques de la taille d'une pièce de monnaie recouvraient chaque pan visible de sa peau. Une éruption cutanée totale et impitoyable qui la déformait entièrement. Sans parler, d'un simple regard d'effroi, elle suppliait son mari.

« Brooke … oh non… Viens, on va à l'hôpital. Tout de suite. »

Il roula à toute vitesse en direction de Samsontown, ne ralentissant que par intermittence, lorsqu'il entendait sa fille bégayer sur le siège bébé à l'arrière. Brooke se tenait droite sur le siège passager. Elle fixait la route, la tête dissimulée sous un foulard, encore haletante sous les nombreuses couches de vêtements qu'elle avait enfilé pour se cacher. La famille Jovignot arriva en un temps record devant les urgences de la clinique.

*

Rob essaya de garder son calme dans la salle d'attente tandis que l'on examinait sa femme. Si cela n'avait tenu qu'à lui, il serait aller fumer un paquet entier de cigarettes sur le parking. Mais Georgia était là. Il ne pouvait pas se permettre de faillir devant sa fille. L'enfant avait l'air légèrement inquiète de cet environnement inconnu à l'odeur étrange.

Rob assit sa fille sur ses genoux et ouvrit le livre en tissu qu'il avait attrapé pour elle en quittant la maison en catastrophe. Il entreprit de lui faire la lecture de l'histoire d'un hippopotame un peu stupide qui n'allait pas plus loin que trois phrases et demie. Il revint au début, décida de réinventer une autre histoire, tenta des bruitages improbables pour la faire rire et lui faire oublier l'endroit où ils se trouvaient.

Une fois la dernière page tournée, Robert recommençait.

*

« Monsieur Jovignot ?

- C'est moi, hurla Rob en bondissant de son siège en plastique dur, Georgia dans les bras.

- Vous voulez bien me suivre s'il vous plait ? »

Rob entra dans un cabinet de consultation impersonnel. Il déposa sa fille qui tenait le sac à main de Brooke sur un siège, s'assura de son équilibre et s'assis sur l'autre fauteuil. Le médecin d'une cinquantaine d'années qui s'installa en face de lui avait un visage parfaitement indéchiffrable. Rob sentit l'angoisse lui remonter dans la gorge.

« Alors ? demanda-t-il.

- Nous allons garder votre femme quelques jours en dermatologie.

- Qu'est-ce qu'elle a ?

- Difficile à dire.

- C'est ça votre diagnostic !? »

Je suis pas médecin mon pote mais je vais te prescrire ma main dans ta ...

« Non, évidemment non. C'est aussi pour ça que nous allons garder votre épouse sous surveillance. Ce qui est certain, en attendant, c'est que son irruption cutanée a atteint son paroxysme et qu'elle va dès à présent commencer à se résorber. Mais pour l'instant, nous n'en connaissons pas la cause. C'est cela que nous allons chercher à identifier afin que cela ne se reproduise pas. C'est forcément en réaction à quelque chose. Mais votre femme n'en a aucune idée pour l'instant.

- Elle n'a aucune allergie. En tout cas pas que je sache.

- C'est ce qu'elle nous a dit aussi. Mais on peut déclencher des allergies à n'importe quel moment de sa vie.

- Dans combien de temps elle pourra sortir ?

- Je ne peux pas m'avancer, mais je pense que ce sera assez rapide car elle n'est pas en danger. Ses signes vitaux n'annoncent rien d'inquiétant. Nous la garderons moins d'une semaine, c'est à peu près certain.

- Je peux aller la voir ?

- Il ne vaut mieux pas, elle est endormie. Nous l'avons mise sous sédatif, elle était trop anxieuse. Elle a besoin de se reposer. Il semble qu'elle n'ait que très peu dormi ces derniers temps. Quoi qu'il en soit, je vous déconseille les visites jusqu'à ce qu'elle rentre à la maison.

- Pourquoi ça ?

- Parce que vous avez une fille en bas âge. Même si a priori il n'y a rien de contagieux, mieux vaut éviter tout risque inutile.

- Mais elle aura peut-être besoin que je lui apporte des choses, je ne sais pas moi, une brosse à dents, un livre, du linge propre … Elle n'a que son sac à main pour l'instant.

- Nous lui fournirons ce dont elle aura besoin, elle n'aura qu'à demander. Elle est entre de bonnes mains ici.

- Je vous fais confiance alors, dit-il à regret.

- Bien, je dois vous laisser si vous n'avez pas d'autres questions. Vous devriez rentrez vous reposer maintenant. »

Il fit de trajet du retour au ralenti dans l'obscurité. Bien que la nuit fut dégagée, il mit pourtant le double de temps pour le retour que pour l'aller.

« Maman », réclama Georgia lorsqu'il la déposa sur le sol une fois à la maison.

Rob ne sut que répondre. Il essaya de détourner son attention avec une peluche qui trainait dans le salon, puis avec une portion de compote.

« Maman ? » répétait l'enfant, le front anxieux.

Lorsqu'il la borda pour la nuit, elle réclama encore sa mère dans le noir.

CHAPITRE 2

Woodburg se réveilla avec le même vieux réflexe matinal de la plupart de ses habitants. La lecture du Daily Woods. Certains le piochaient sur leur pas de porte, d'autres l'achetaient à l'ExPress ou au WB Market. On le lisait chez soi, au comptoir du Hemignway Café, attablé chez Eliane Bakery, dans le salon du Country Club, ou avec le premier mug de café dans les immeubles de bureaux de Samsontown.

La une du jour concernait la manifestation houleuse des Planet Partners et la bousculade qui s'en était suivie sur le dernier chantier de RJ Company. L'article retraçait la maigre chronologie de l'incident point par point. Le tout était illustré de nombreuses photos dont les angles divers rendaient une impression de grande brutalité.

Et si l'on passait à l'article suivant, une double page était consacrée au futur festival de cinéma de Woodburg par RJ Company, ainsi qu'à l'agrandissement du cinéma Lumières. Le portrait de Stella Wings et son interview sur le projet côtoyaient les photos avant-après l'ère Jovignot du cinéma de Woodburg.

La une une journal fut abattue d'un geste furieux de Robert sur le bureau de Stella.

« Qu'est-ce qui vous a pris de parler aux journalistes ? » cria-t-il.

Stella se leva d'un bond, sidérée. C'était la seconde fois en peu de temps qu'elle voyait son patron sortir de ses gonds.

« Mais enfin, je vous en ai parlé hier ! Vous ne m'avez pas écoutée.

- Ah oui, désolé, il y avait une manifestation sur le chantier, pardon !

- Je ne pouvais pas deviner que ça allait coïncider avec un incident de ce type ! Cette interview était sensée être un atout de taille pour la fréquentation de l'hôtel en hiver.

- Et vous ne voyez pas que ça va produire l'effet inverse !? Qu'on va encore me coller tous les malheurs du monde sur le dos !?

- Je pensais bien faire.

- Alors la prochaine fois ne pensez pas ! »

Il claqua la porte et retraversa ses locaux dans l'autre sens à toute vitesse. Juliana l'attendait devant son bureau la tête rentrée dans les épaules. La porte était ouverte.

« Qu'est-ce qu'il se passe encore ?

- C'est le maire, avoua Juliana. J'ai essayé de l'empêcher de rentrer, mais il m'a bousculée.

- C'est pas vrai !? »

Rob referma la porte avec tout le calme dont il fut capable. Rupert Springs était à demi assis sur son bureau, et tenait dans ses mains lisses et manucurés le trophée d'homme d'affaires de l'année de Robert dans une parodie d'admiration.

« Vous bousculez les femmes, vous, maintenant !?

- Bonjour Robert. »

Rupert reposa soigneusement la récompense sur le plan de travail, juste à côté de l'exemplaire du Daily Woods avec lequel il était entré. Il ramassa le quotidien et l'agita doucement sous le nez de Rob.

« Vous vous illustrez aussi, dans votre genre. Vous savez que je compte mettre tout ce qui est en mon pouvoir pour empêcher non seulement votre nouveau petit festival, mais aussi les travaux que vous envisagez faire dans le cinéma ?

- Faites ce que vous voulez, je m'en tape.

- C'est ce que l'on verra.

- En attendant c'est avec mon avocat qu'il faut voir ça. Spencer Billings. Vous avez ses coordonnées il me semble. Désolé mais vous allez devoir partir maintenant, j'ai autre chose à foutre de mes journées malheureusement.

- C'est comme vous l'entendez » dit Rupert en forçant son ton narquois.

Le maire s'éloigna. Rob entendit bientôt sa voiture redémarrer sur le parking. Il s'assis à son bureau, saisit son trophée qu'il jeta par terre. L'objet fit plusieurs bonds avant de s'immobiliser sur la moquette, intact. *Je n'aimerais pas que tu t'attires trop d'animosité en multipliant les chantiers. Tu veux bien me dire que tu vas essayer ?* résonnait la voix de Gordon Diwght dans sa tête. *C'est pour toi que je dis ça mon grand.*

Il se donna une minute pour se calmer composa le numéro de la maison. Mary Fine répondit aussitôt.

« Madame Fine ? Tout va bien avec Georgia ?

- Oui tout va bien ne vous en faites pas. Elle est très sage.

- Bonne nouvelle. Vous vous êtes entendue avec Ella Hunter pour qu'elle prenne le relai quand vous partirez ?

- Bien sûr. Elle a pu se libérer pour le milieu d'après-midi. De toute façon je ne partirai pas avant qu'elle arrive.

- Vous n'allez pas être en retard ?

- Dans le pire de cas, les Dubonnet m'attendront. Ce n'est pas bien grave.

- Merci Madame Fine, je ne sais pas ce que je ferais sans vous. Pardonnez-moi encore de vous mobiliser de la sorte. C'est provisoire, je vous rassure. L'hôpital m'a téléphoné tôt ce matin. Ils m'ont certifié que Brooke rentrerait dans deux ou trois jours maximum en meilleure forme.

- Je suis au courant. Votre épouse a appelé ici tout à l'heure. Elle me l'a dit. Sa … son problème de larynx a l'air d'aller mieux, déjà.

- Vous lui avez pu lui parler ?

- Oui un peu. Mais elle appelait surtout pour entendre la voix de Georgia. Je lui ai passé le téléphone, elle était contente d'entendre sa maman. »

*

Il se mit en route pour le chantier. Juliana lui avait proposé de l'y conduire mais Rob avait refusé. Il avait besoin d'être seul. Quelques gouttes de pluie s'écrasèrent sur le pare-brise. Il actionna les essuie-glace et s'engagea dans la dernière avenue résidentielle menant au Country Club. Venant en sens inverse, il croisa une Cadillac roulant lentement. Le profil au nez de statue de la conductrice lui parut familier, derrière les gouttes de pluie sur la buée de la vitre. La femme négocia un virage en montée, le visage fatigué, ses longues mèches cendrées en bataille coincées sous une grosse écharpe en laine. C'était Kristen Ward-Brown. Elle ne l'avait pas vu. Kristen sans Russel.

Et lui sans Brooke.

*

Tout était en ordre au chantier. C'était comme si l'incident de la veille n'avait été qu'un mauvais rêve. Robert souffla un peu, soulagé.

CHAPITRE 3

Dès le lendemain, de bonne heure, Alfred et Caroll Woodehouse partirent en campagne, pétition à la main. Le banquier et l'illustratrice avaient pris leur journée pour distribuer les tracts composés la veille et imprimés dans la nuit avec l'aide précieuse de Roberta Madden. Ils bravèrent le froid glacial du petit matin, dans l'espoir de recueillir le maximum de signatures contre le projet de rénovation et de festival du cinéma Lumières.

La documentation imprimée était un patchwork de photographies de la manifestation des Planet Partners, de l'émeute hystérique suite au séjour de la chanteuse Sonat, ainsi que de nombreux clichés compilés par Roberta Madden depuis des années. Le tout était légendé d'hurlants commentaires négatifs en majuscules rouge. NOUS NE VOULONS PLUS DE ÇA ! NOS ENFANTS NE SONT PLUS EN SÉCURITÉ ! WOODBURG N'EST PAS LAS VEGAS ! STOP A LA MEGALOMANIE !

Le couple Woodehouse fit le tour des pâtés de maison, frappèrent à toutes les portes et se rendirent chez chaque commerçant. Certains étaient sûrs d'eux et signèrent avant même d'entendre leur litanie. C'est ce que firent le maire et sa femme Linda.

Lorsque les gens se montraient indécis, Alfred et Caroll leur remettaient les tracts *à regarder tranquillement pour se faire une opinion*, et les invitaient à revenir vers eux au plus vite en leur donnant leurs numéros de téléphone. Lorenza Page faisait partie des cibles hésitantes. Mais comme la riche veuve appréciait manger à tous les râteliers, elle repartit néanmoins avec la feuille imprimée. Harold Mason, de la poissonnerie The Lake au-dessus de laquelle Robert avait loué son premier appartement en s'installant à Woodburg, fit de même.

Le couple se fit rapidement diriger vers la sortie par quelques uns. Marina Chang, Jane Killmeyer et le vieux Ray du Janis Pub les insultèrent copieusement. Les Woodehouse repartaient en haussant les épaules. Ce n'était pas bien grave.

Car nombreux étaient ceux qui s'empressèrent d'apposer leur signature. Après avoir effectué son griboullis à l'aide du stylo qui avait retenu son chignon, Tonya Jen invita toutes les clientes présentes dans son établissement à faire de même, y compris celles qui ne résidaient pas à Woodburg. Ces dernières le firent néanmoins pour Tonya, espérant une réduction en passant à la caisse qu'aucune d'entre elles n'obtint.

Heather Foley fit de même dans sa boulangerie. A l'inverse, son mari Christopher refusa formellement de l'imiter au WB Market. Il décolla les tracts que Caroll avait scotchés sans son accord aux caisses de son supermarché quand il avait eu le dos tourné, et avait vertement réprimandé une caissière qui avait signé *sans savoir pourquoi,* avait-elle expliqué.

« Quand on ne sait pas, on s'abstient. »

Bien entendu, il était évident qu'il n'allait pas être demandé à Robert Jovignot, *l'homme de tous les malheurs* selon Woodehouse, de signer une pétition contre lui-même. Il reçut cependant le tract directement en arrivant au bureau, agrafé sur la porte de RJ Company.

CHAPITRE 4

Une pluie furieuse battait sur les carreaux. Dans le bureau qui fut celui d'Aidan Norton, le visage de Rob disparaissait sous une pile de classeurs. Il avait passé la matinée au Country Club à en éplucher la comptabilité et l'organisation pour traiter les premières urgences, demandant nombre d'explications à l'équipe administrative de l'ancien directeur. Cette dernière, affamée, partit déjeuner tard, laissant Rob se débattre avec ses recherches. Il n'avait pas faim et souhaitait en finir au plus vite.

Andrea Perez passa devant la porte restée ouverte et s'arrêta en entendant Robert râler.

« Je peux vous aider, Monsieur Jovignot ?

- Non euh ... Merci. Je ne pense pas que vous sachiez ce que je cherche. »

Robert avait à peine levé les yeux sur le masseur dont il ne se souvenait plus du nom. Andrea fit un pas dans la pièce.

« Dites-moi au moins ce que vous cherchez. »

Il est lourd celui-là. Il veut pas me foutre la paix non ? Mais le jeune homme ne s'en allait pas. Il fixait Rob de ses grands yeux noirs interrogateurs. *Après tout, si il tient absolument à faire du zèle.* Rob se laissa aller contre le dossier du siège qui grinça et lança un regard de défi à l'impertinent.

« Très bien. Je cherche le dossier des achats, le carnet d'entretien de la piscine intérieure, et les décisions du dernier conseil.

- Alors, » réfléchit Andrea.

Coincé mon petit. Allez tu peux disposer. Andrea désigna un placard.

« Le dossier des achats est là-dedans, étage du dessus à gauche. Il est à l'intérieur du répertoire des fournisseurs, c'est un dossier à part consigné dans un cahier, vous le trouverez à la dernière page perforée. Pour les piscines, vous trouverez les comptes rendus des techniciens dans cette pochette cartonnée. Celui de la piscine intérieure est rouge. Pour les décisions du conseils, elles sont classées par date, mais le dernier fichier est à part car l'ancien que vous avez sous les yeux n'avait plus de place, il en fallait un nouveau. C'est celui-ci, tenez. »

Rob ne savait plus où se mettre. *Il sait tout ce gamin ou quoi ?* Il ouvrit le premier dossier de bilan comptable qu'il avait sous les yeux et pointa son index au hasard sur le premier feuillet.

« Et vous pouvez m'expliquer ces chiffres ? »

Andrea fit le tour du bureau et se tint auprès de lui. Il baissa les yeux et déchiffra les caractères sous les doigts de Robert.

« Il me semble que c'est l'échéance de l'emprunt pour la nouvelle tapisserie de la salle de réception. »

Rob manqua de lui refermer le dossier sur les doigts, et Andrea de sursauter. Rob leva les yeux vers le jeune employé. *C'est qui ce gosse ?*

« Excusez-moi, jeune homme, mais pourriez-vous me rappeler votre nom ?

- Andrea Perez.

- Et vous êtes masseur ici ?

- C'est exact.

- Comment se fait-il que vous sachiez où se trouvent tous les dossiers et ce qu'ils contiennent ?

- C'est Monsieur Norton qui m'a tout montré.

- Aidan Norton ou son père John ?

- Non Aidan Norton. C'est lui qui m'a embauché après avoir pris la suite de son père.

- Et pourquoi vous a-t-il appris tout cela ?

- Parce qu'il savait que j'aimerais avoir ma propre affaire plus tard et que j'étais curieux. Alors quand je n'avais pas de rendez-vous et qu'il avait quelques minutes, il me donnait des leçons de gestion. Parfois même, je l'aidais.

- Vous avez quel âge ?

- Vingt-quatre ans.

- Vous vivez à Woodburg ?

- Non, à Samsontown.

- Vous êtes du coin alors ?

- Non, pas vraiment, je me suis installé à Samsontown quand j'ai trouvé cet emploi ici. Avant, je vivais à Austin. J'ai grandi là-bas. »

Rob resta un moment silencieux, honteux d'avoir pris ce jeune homme pour un intriguant. Il y avait en Andrea Perez le reflet du jeune Robert Jovignot plus de dix ans en arrière. Lui avait commencé ici même comme employé multitâche et y avait rencontré George Hansen. Le vieil homme avait reconnu son fort accent et lui avait demandé d'où il venait dans un français impeccable. Il avait pris Rob sous son aile dès lors qu'il sût qu'il était originaire de Bourgogne, région pour laquelle le retraité avait un amour inconditionnel, tant pour son vin que ses châteaux et ses paysages. Il avait été étonné que l'on veuille s'en défaire pour venir travailler de l'autre côté du monde.

Peut-être tenait-il désormais le rôle de George, maintenant qu'il n'était plus. *Peut-être que c'est à moi de passer le flambeau, que je pourrais lui donner sa chance en tant que directeur du Country Club après le règne des Norton.* Andrea Perez était le nouveau Robert Jovignot, un autre lui. D'un coup, Rob se sentit vieux.

« Très bien, Andrea, vous m'avez bien aidé.

- A votre service.

- Est-ce que vous voulez rester m'aider ? Comme ça je pourrais partir d'ici plus vite. Vu que vous avez l'air de tout savoir ...

- Bien sûr. Je n'ai pas de clients pour le moment.

- Alors asseyez-vous. »

La joie manifeste, l'enthousiasme sans bornes du jeune homme lorsqu'il s'installa face à Rob l'emplit de mélancolie.

Grace aux lumières d'Andrea, Rob acheva son tour d'horizon du Country Club une heure plus tard et marcha vers la sortie, fatigué. Il adressa un signe de la main aux Waterfalls qui marchaient en sens inverse. Ils lui répondirent en poursuivant leur conversation. Il lui sembla avoir entendu Rose Waterfalls prononcer le nom de Kristen. Il fit discrètement demi-tour et tenta de saisir le reste de la conversation mais n'en reçut que des bribes. En les rassemblant, il comprit que Kristen allait sans doute vendre la maison de ses parents.

*

Il conduisit lentement, hésitant sous la pluie battante. Si lentement qu'il fut klaxonné par une vieille dame. Enfin, il fit que qu'il avait cru bon d'éviter depuis le début du trajet et prit la direction de la villa des Ward.

Il frappa plusieurs fois à la porte en se recroquevillant sous le porche pour éviter les trombes d'eau. Il avait aperçu aux fenêtres une silhouette indécise se figer derrière les voilages. Jusqu'à ce que Kristen finisse par aller lui ouvrir.

« Rob, dit-elle simplement.

- Bonjour Kristen. Je peux rentrer un moment ? »

A contre-coeur après un léger soupir, Kristen s'écarta pour le laisser entrer. Il la suivit jusqu'au salon bien chauffé encombré de cartons ouverts. Kristen continua à y entasser des bibelots enveloppés dans du papier de soie comme si Rob n'était pas là. Il s'assit sur le rebord d'un fauteuil couvert d'un drap et encombré de gros sacs de toile. Il la regarda faire sans un mot, s'attendant à ce qu'elle parle la première. Elle était toujours très belle malgré ses traits tirés et ses yeux gris fatigués. Elle n'avait que peu changé depuis qu'il l'avait rencontrée au bras de Brooke. Son visage était simplement passé d'une candeur brutale à la mélancolie, y creusant certains de ses traits.

Il la regarda poursuivre son tri, sans un mot ni un regard pour lui. Il se sentait fantôme. Kristen, triait, dégageait sa longue tresse qui se glissait dans les cartons derrière son épaule, soupirait et allait chercher un autre objet qu'elle caressait de ses doigts fins pour en retirer la poussière. Ce fut au tour de Rob de soupirer, au bout d'une demie heure de ce manège.

« Kristen, tu ne veux vraiment pas me parler ? »

Elle fit comme s'il n'était pas là. Au dehors, la pluie redoubla.

« Je sais que tu es bien plus malheureuse que je ne le suis, que tu as perdu ton mari. Je sais à quel point tu en veux à Brooke. Mais moi je n'y suis pour rien, je suis venu en ami. Alors dis-moi quelque chose, s'il te plait. Tu as le droit d'être en colère,   mais moi je ne t'ai rien fait. Parle-moi. »

Elle poursuivit sa tâche. Il y eut un long silence.

« Je ne suis pas en colère », dit simplement Kristen.

Rob la crut. Il n'y avait rien d'amer dans sa voix. Juste une mer de tristesse, quelque chose de résigné et d'un peu flou. Comme si tout ce qui s'était produit avait été inévitable. Un fatalisme dont il ne subsistait que des larmes séchées, sans désir de vengeance.

Cette simple phrase, et le ton sur lequel était dite, suffisait.

« Brooke parle peu elle aussi, tu sais, lança-t-il sans espoir de réponse. Je me demande si elle a toujours été comme ça. »

Kristen secoua doucement une grande housse de coussin brodée de vieille dentelle, puis une autre, avant de les plier dans un carton neuf.

« Elle n'a pas toujours été comme ça », dit-elle.

Sans oser en demander davantage, Rob regarda attentivement l'amie d'enfance de sa femme, comme pour la persuader mentalement de lui en dire plus.

« Elle était plutôt bavarde petite. Et de moins en moins au fil du temps. Lorsqu'elle est venue vivre chez nous, elle ne parlait déjà presque plus.

- Si tôt ? Elle n'avait que dix-sept ans.

- Oui. C'était manifestement assez tôt pour elle pour comprendre que parler ne servait pas à grand chose.

- Pourquoi ?

- Quand sa mère et sa soeur lui faisaient la vie dure, Brooke allait s'en plaindre à son père. Il était trop occupé par son travail pour s'en rendre compte. Il minimisait les choses. Et comme un imbécile, il allait en toucher un mot à sa femme. Et après c'était deux fois pire. Elle se déchainaient sur Brooke.

- Qui ça ?

- Sa mère et Michelle, sa petite soeur.

- Brooke ne parle jamais de sa soeur. Je sais juste qu'elle en a une. Je n'ai jamais vu une seule photo d'elle.

- Tu ne loupes rien. C'était une peste. Je n'ai jamais pu la supporter. Elle faisait vivre un calvaire à Brooke.

- C'était juste une gamine.

- Oui, mais complice de sa mère. Diana Mathis est la reine des ordures.

- Je sais que Brooke en a assez souffert pour aller vivre chez toi, mais elle ne m'a jamais vraiment dit pourquoi. Elle répond simplement que ses parents étaient durs.

- Son père, non. Pas dur, juste aveugle. A un certain point, on peut parler de négligence.

- Et sa mère ?

- Elle passait tout à Michelle, et était intransigeante avec Brooke. Mais je ne parle pas de vague intransigeance, c'était plutôt de la maltraitance.

- C'est à dire ?

- Diana poussait quotidiennement Michelle à faire des misères à Brooke et punissait Brooke en même temps qu'elle récompensait sa soeur.

- Quel genre de misères ?

- Oh, ce n'était pas bien grave, des petites choses insidieuses sans grandes conséquences, des petits sabotages répétés, des objets qui disparaissaient, un carreau cassé, des humiliations à droite à gauche. Je le voyais de mes yeux, et c'était très répétitif. Mais ce n'était pas tout, il y avait pire. Michelle avait le droit de manger ce qu'elle voulait tandis que Brooke était mise au régime par sa mère.

- Pourquoi ?

- Pour rien. Brooke n'avait pas besoin de surveiller son poids, mais ce n'était pas l'avis de sa mère. Brooke était constamment affamée et venait souvent manger chez nous. Au lycée, je lui apportais des barres chocolatées en cachette tous les jours. Parfois, sa mère lui présentait une belle assiette de frites ou des macaronis au fromage et la lui retirait aussitôt pour la donner à sa soeur. Ou la jeter à la poubelle sous ses yeux. Une fois, Brooke m'a avoué qu'elle avait mangé le pâté du chat, mais je ne me souviens plus si c'est sa mère qui lui avait servi ou si elle l'avait mangé d'elle-même parce qu'elle avait faim. »

Est-ce que j'ai bien entendu ce que j'ai entendu ? A cet instant, atterré, Robert compris pour la première fois depuis de longues années de mariage, pourquoi sa femme veillait sur son assiette comme si on allait la lui enlever, et pouvait piquer une colère s'il essayait de lui subtiliser le moindre petit pois. *Mais quelle horreur ...*

« C'est allé de pire en pire à l'adolescence, poursuivit Kristen. Sa mère l'accusait de tous les vices possible. Elle surveillait tout ce que Brooke faisait, qui elle fréquentait, décidait des études qu'elle allait faire, critiquait ou moquait tous ses choix, même les plus insignifiants. Elle singeait sa voix dès que Brooke essayait de se défendre. A partir de là, doucement, Brooke a adopté le silence, il est devenu sa seule défense. Elle a commencé à garder une expression neutre, en toutes circonstances. Jusqu'à ce que son visage ne laisse passer aucune émotion, qu'aucun sentiment ne filtre, et qu'elle parle le moins possible.

- Je confirme ... Et après, elle est venue habiter chez tes parents ?

- Un peu plus tard oui. Un jour où malgré le mutisme, les choses sont allées assez loin pour qu'elle s'enfuie.

- Il s'est passé quelque chose de particulier ? Elle n'a jamais voulu me répondre.

- Elle n'a jamais voulu me le dire non plus précisément.

- Mais tu sais quelque chose ?

- Tout ce que je sais, c'est qu'un soir où les Mathis recevaient, un ami de ses parents à fait *quelque chose* à Brooke. Elle n'a jamais voulu me le préciser. Brooke s'en est plaint. Sa mère a minimisé les choses en l'accusant de l'avoir allumé, et son père n'a rien dit. Brooke s'est enfuie. Elle a fait un bagage en n'emportant que l'essentiel, elle s'est échappée par sa fenêtre et a couru jusque chez nous. Mes parents n'ont jamais apprécié les Mathis, Brooke savait qu'ils ne la renverraient pas chez eux. »

Rob resta bloqué dans l'effarement. Il ne savait rien de tout cela. Pas le commencement du début. *Oh mais quel con je suis !* Il avait toujours cru que l'aversion de sa femme pour ses parents n'était qu'une simple mésentente, une différence houleuse de points de vues ponctuées de disputes et de claquements de portes. Il prit conscience de l'erreur phénoménale qu'il avait commise le jour où il avait accepté l'investissement de Leonard Mathis dans RJ Company. Il se passa la main sur le visage comme pour se réveiller d'un cauchemar. *Quel monstre fait passer ses ambitions devant les cauchemars de sa femme ?*

« Tu as des photos de Brooke enfant ? balbutia-t-il.

- Je crois, oui. »

Kristen alla ouvrir un tiroir dont le bois grinçait et fouilla à l'intérieur. Rob suait abondamment. Kristen ouvrit plusieurs albums et en choisit un.

« Tiens, » dit-elle en le posant sur ses genoux.

Elle retourna remplir ses cartons. Rob tourna les pages. Brooke apparaissait par intermittence, à des anniversaires ou des vacances chez les Ward. Sous les traits d'une enfant très maigre qui malgré sa mine maladive essayait de faire bonne figure.

*

Le visage d'enfant de son épouse le hanta tout le reste de l'après-midi pluvieuse. Il ne cessait de ressasser le passé que Brooke lui avait caché. Il ne lui en toucherait pas un mot, ni de ce passé dévoilé, ni de sa visite chez Kristen, si elle ne voulait pas qu'il le sache, c'est qu'elle avait ses raisons.

Il lui téléphona sur son portable. Il avait besoin de l'entendre.

« Comment tu te sens ? demanda-t-il.

- Mieux.

- Tu sors toujours demain ?

- Oui.

- Alors je viendrai te chercher.

- D'accord. »

Il hésita à parler, les mots lui restèrent un moment dans la gorge.

« Tout va s'arranger maintenant. Je t'aime. Et je suis là. »

Il écouta le silence de la non réponse qu'il attendait avant de raccrocher.

*

Robert remercia Ella Hunter et pris Georgia dans ses bras. Elle aurait trois ans le lendemain. Elle réclama sa mère à grand renfort de syllabes.

« Demain mon bébé, promit-il. Demain. »

CHAPITRE 5

Rob récupéra Brooke devant la clinique en début d'après-midi. Il n'avait pas eu besoin d'entrer, elle l'attendait déjà dehors sous un ciel bleu glacé. La pluie avait cessé dans la nuit, faisant place nette pour le retour de sa femme.

Sa peau, bien que pâle et un peu sèche, avait retrouvé un aspect normal. Sa voix toujours rauque était la même que celle qu'il avait entendue la veille au téléphone. L'odeur qui émanait d'elle était celle d'un hôpital. Elle lui sourit en entrant dans la Lincoln.

Ils s'arrêtent dans une pâtisserie, puis dans un magasin de jouets de Samsontown savamment nommé Samsontoys afin d'y choisir des cadeaux pour leur fille. Une fois le coffre plein, Rob reprit le chemin de Woodburg.

Il se gara sur le parking du WB Market sur la demande de Brooke qui souhaitait faire quelques courses avant de rentrer. Il l'accompagna dans le supermarché. Il marcha comme une ombre derrière sa femme à travers les rayons. Vêtue d'un long manteau noir, un bonnet enfoncé sur ses cheveux, presque ainsi cachée, elle attirait pour autant tous les regards dont ceux, féroces, d'Eva Dubonnet accompagnée de Laura Saintclair du Woooburg Inn qu'elle croisa devant les céréales. Mais Brooke emplissait son charriot sans s'en préoccuper. Claudia Fortin, l'associée de Sharon Bishop adressa un bonjour mielleux à son ancienne employée, relevant haut son menton pointu en signe de dédain poli. Brooke lui répondit par un petit hochement de tête avant de choisir un paquet de spaghettis. Il y eut d'autres interpellations qui sonnaient faux.

Parvenus aux caisses, seul Christopher Foley, le directeur, salua chaleureusement le couple Jovignot sans avoir l'air de se brûler.

Le jour tombait déjà lorsqu'ils gravirent la colline. Brooke tenait soigneusement la boîte contenant le gâteau d'anniversaire de sa fille sur ses genoux afin qu'il ne s'abîme pas dans la montée.

Lorsqu'elle vit entrer ses parents, Georgia se tortilla hors des bras de Mary Fine afin se se jeter dans ceux de sa mère. Brooke serra longtemps sa fille contre elle.

« Merci Madame Fine de vous en être si bien occupée, dit-elle

- Et ça c'est pour vous remercier » dit Rob en lui tendant une bouteille de Champagne ainsi qu'une enveloppe contenant une épaisse liasse de billets.

Les premières effusions passées, ils s'organisèrent. Rob partit allumer la cheminée et disposer les paquets cadeaux dans le salon. Brooke cachait les yeux de Georgia tandis que, de l'autre main, elle plantait trois bougies dans la pâte d'amande de son gâteau.

« Joyeux anniversaire Georgia », chantèrent ses parents en choeur lorsqu'ils furent tous réunis dans le salon.

CHAPITRE 6

Quelques jours avaient passé depuis que Brooke était rentrée de la clinique. Cela avait réconforté Robert, et les choses s'étaient calmées. Les flocons avaient commencé à tomber. Brooke était encore fatiguée, elle devait encore se reposer mais avait toutefois suffisamment d'énergie pour s'occuper de Georgia et descendre faire quelques courses en ville.

*

Chez RJ Company, la réunion touchait à sa fin. Le festival de Noël approchait, et tout était préparé dans les délais. Le George Palace affichait complet pour les fêtes de fin d'année et il y avait encore trois mariages prévus au George Palace avant Noël. Robert félicita son équipe. Une fois seul, il s'étira et regarda l'heure. Il allait se lever pour partir lorsque Juliana l'avertit d'un coup de fil.

« Oui.

- Monsieur Jovignot ? Je suis Greta Keywood, du service d'infirmers à domicile de Madame Hansen.

- Je vous écoute.

- Madame Hansen est décédée aujourd'hui. »

Rob le leva d'un bond, avec la sensation d'avoir de reçu un seau d'eau glacée sur la tête.

« J'arrive tout de suite.

- Je vous demande pardon ?

- Je viens ! Elle est encore chez elle ?

- Non, elle est à la morgue à Samsontown.

- Quoi !? Attendez, comment est-ce que je n'ai pas été averti de son transfert ?

- Ce n'est pas à vous de décider, Monsieur Jovignot, c'est à la famille. Vous ne faisiez que payer les soins de Madame Hansen.

- Je ne faisais *QUE* payer les soins !? Vous vous foutez de ma gueule ?

- Ecoutez, Monsieur, je vais devoir raccrocher. Contactez-nous de nouveau lorsque vous serez moins énervé. Vous avez encore des frais à nous régler, demandez directement la comptabilité la prochaine fois, merci. Bonsoir. »

La communication fut coupée. Rob garda le téléphone contre son oreille. Un couinement s'échappa de sa gorge sans qu'il n'y eut de larmes. Il était effondré, mais trop furieux pour céder à la tristesse. Il se leva pour décrocher son manteau et se hâta de rentrer chez lui.

*

260

Il fut accueilli par sa fille qui courut vers lui. En la prenant dans ses bras, il sentit le coeur de Georgia cogner à un rythme anormal contre lui. Il regarda sa fille, écarta les grosses boucles châtain de son visage, découvrant ses yeux apeurés.

« Ma chérie ? Qu'est-ce qu'il y a ? »

La petite pointa du doigt les escaliers.

« Maman coule, dit Georgia en baissant la tête.

- Maman *quoi* ?! »

Il sentit le sol se dérober sous ses pieds. Comme si la colline allait s'éventrer.

« C'est pas vrai, non ! »

Il reposa sa fille.

« Georgia tu restes là. »

Il grimpa les escaliers quatre à quatre, s'attendant au pire. *Qu'est-ce qu'elle a fait ? Pourvu qu'il ne soit pas trop tard.* La porte de la salle de bain était ouverte. Il s'y précipita. La baignoire était vide et propre. Aucune trace de sang. *Mon Dieu qu'est-ce qu'elle a fait !?* Il entendit un frottement venant de la chambre. D'un coup, il ralentit, s'approcha de la porte à pas prudents. Y avait-il quelqu'un d'autre dans la maison ?

Brooke se tenait debout au milieu de leur chambre. Bien vivante mais le visage sans expression. Sa peau suintait, comme recouverte de cire, charriant une odeur fétide. *Maman coule.* Rob tituba jusqu'à elle, entre frayeur et soulagement.

« Brooke ? Brooke, tu te sens bien ? »

Elle le fixait sans répondre. Le fluide lui coulait dans les yeux. Une pellicule intégrale de transpiration trouble et opaque recouvrait sa peau.

Rob se jeta sur le téléphone et demanda au Docteur Chastain de venir de toute urgence. Il alla l'attendre en bas en gardant Georgia blottie sur ses genoux.

*

« Alors ? demanda Rob lorsque le médecin redescendit les escaliers. Qu'est-ce qu'elle a ?

- Je ne saurais pas vraiment vous dire. »

Rob se leva, déposa Georgia au sol et garda sa petite main dans la sienne pour qu'elle ne monte pas à l'étage.

« Comment ça, vous ne savez pas ? Vous voyez bien qu'il se passe quelque chose non !?

- J'ai en effet pu observer une transpiration abondante. Mais il n'y a pas de fièvre. A l'auscultation, elle est en parfait santé. »

Soudain, un rire s'échappa de l'étage. Un rire rauque, caverneux, tonitruant. Un bref rire de dément. Terrifiée, Georgia serra les deux jambes de son père de toutes ses forces. Le Docteur Chastain avait les yeux écarquillés. Robert aurait juré y voir de la terreur. Le médecin s'éclaircit la gorge.

« Elle a probablement besoin de repos. Je vous laisse, j'ai un autre patient à voir. »

*

Rob ne put s'endormir à cause de l'odeur de sa femme. Une odeur putride sans comparaison possible avec celle d'avant son séjour en clinique. Comme si Brooke s'était endormie dans des siècles de vase. Une odeur d'épave humide traînée hors de la mer. *Mon Dieu mais qu'est-ce qu'il se passe ?*

Il la regardait dormir. Elle suintait. La sueur imprégnait les draps et l'oreiller, s'infiltrait dans les tissus où elle laissait des traces grasses. Un râle rauque s'échappait de ses lèvres.

Brooke faisait peur à Georgia.

Brooke lui faisait peur.

CHAPITRE 7

Dès la première heure, sans avoir dormi, Rob téléphona à Mary Fine et à Ella Hunter pour leur demander de ne pas venir les prochains jours. Il prétexta que Brooke était partie passer du temps chez sa famille à Houston. Un peu surprises, chacune à leur tour, les deux employées se contentèrent de demander à Rob de les tenir au courant du moment où elles devraient reprendre le travail.

Il remonta dans la chambre avant de partir. Brooke avait les yeux ouverts et semblait regarder à travers lui.

« Bon, chérie, les médecins sont des incapables mais ce n'est pas grave. Malgré tout, ils affirment que tu es en bonne santé. Tout ça va forcément finir par s'arrêter vu qu'il n'y a pas d'autres symptômes. J'ai dit à Mary et à Ella de ne pas venir ces prochains jours jusqu'à ce que les choses s'arrangent. Comme ça tu seras tranquille. Ça va aller, chérie. Je te le promets. »

Il embrassa son front malgré la pellicule de sueur et descendit en s'essuyant la bouche, aussi écoeuré de ce qu'il essuyait que de son geste même.

*

Il se rendit directement au Country Club. Il alla interrompre le massage matinal de Lorenza Page. Andrea Perez suspendit ses mains au-dessus de Lorenza.

« Andrea, je peux vous parler ?

- Maintenant ? demanda le jeune homme.

- Oui.

- Vous plaisantez Robert j'espère ? demanda Lorenza en le regardant par-dessus son épaule osseuse.

- Je suis navré, Lorenza, dit Rob, je vous fait envoyer un autre masseur tout de suite.

- Mais c'est Andrea que je veux !

- Vous vous en passerez », s'énerva Rob en claquant la porte sur la cliente qui, furieuse, remontait sa serviette d'un geste de tragédienne.

Andrea suivit les pas pressés de Rob jusqu'au bureau de la direction.

« Monsieur Jovignot, est-ce que je pourrais juste me laver les mains ? Elles sont couvertes de lotion et ...

- Alors profitez en, ce sera peut-être la dernière fois.

- Comment ça ?

- J'ai décidé de vous placer directeur du Country Club. A l'essai pour l'instant, bien sûr. Qu'en dites-vous ? »

Andrea passa par toutes les couleurs en une minute avant d'accepter. Il voulut serrer la main de Robert mais se ravisa. Elle était pleine d'huile. Pour la dernière fois.

Rob quitta les lieux aussitôt et téléphona à la maison depuis le parking pour savoir si tout se passait bien. Personne ne décrochait. Il essaya de nouveau et n'obtint pas plus de réponse. *C'est pas vrai !* Il démarra et remonta la colline à toute vitesse. Il manqua d'entrer en collision avec un voisin des Woodehouse.

« Bordel non ! Ça va pas arranger mes affaires ça, merde ! »

Il rappela chez lui en continu sans réponse, jusqu'à ce qu'il arrive à la villa et sorte en trombe de la voiture.

Il trouva Brooke endormie devant la télévision, gisant sur l'immense canapé blanc du salon. Il entendait sa fille sangloter dans la cuisine. Il se précipita au son des les pleurs et poussa un cri d'horreur. Georgia était assise en hauteur à côté du présentoir à couteaux et ne pouvait redescendre seule du plan de travail. Elle oscillait dangereusement, un grand couteau à la main extrait de son étui, terrorisée, les plaques de gaz allumées au plus fort à côté d'elle. Une casserole de lait bouillante débordait, l'éclaboussant de gouttes brûlantes. Effaré, Rob eut le temps de la rattraper au moment où elle tombait du plan de travail avec la lame affûtée.

*

Rob arriva à RJ Company transpirant et hirsute, Georgia sous le bras.

« Juliana, est-ce que je peux vous confier ma fille ?

- Bien sûr, fit son assistante. Bonjour Georgia !

- Je suis désolé, ma femme est partie chez sa famille, je suis un peu dépassé. Vous me promettez de bien la surveiller ?

- Avec grand plaisir. Viens là Georgia. On va bien s'amuser toutes les deux.

- Merci infiniment.

- Au fait, Monsieur Jovignot, je me suis renseignée pour l'enterrement d'Antonia Hansen.

- C'est pour quand ?

- Demain matin, ici à Woodburg.

- Parfait. »

Non, c'est pas parfait. C'est carrément la merde.

CHAPITRE 8

Au cimetière, Shane et Tobias Hansen gardaient les yeux rivés au cercueil de leur tante par alliance. *Faute d'arriver à faire semblant de se recueillir.* De nombreuses personnes âgées des environs étaient venus dire adieu à Antonia Hansen. Ils n'avaient pour la plupart pas eu de relation personnelle avec la défunte, la plupart des amis de la veuve étant partis faire le grand voyage avant elle, mais cela leur faisait une petite sortie.

Rob, poings serrés, figé dans le froid brumeux, n'arrivait pas à se concentrer sur son deuil. Il sentait trop de regards peser sur sa personne. *Parce que j'ai l'air d'un cadavre. Et parce que je suis venu seul.*

Ce matin, il avait déposé Georgia chez Marina Chang.

Cela faisait deux nuits qu'il ne dormait plus. La nuit précédente, il s'était retranché dans la chambre d'amis et y avait traîné le matelas de Georgia à même le sol pour la garder à l'oeil. *C'est une aventure,* avait-il prétexté à sa fille, *comme du camping, mais dans la maison parce qu'il fait froid dehors.* Il lui avait exceptionnellement donné une poignée de guimauves avant de dormir afin de sceller le caractère original de son concept hasardeux et cela avait marché. La petite avait été contente.

Brooke était toujours dans le même état. Aux personnes qui lui demandèrent où était Brooke, Rob servit le même mensonge.

« Elle est partie passer un peu de temps en famille. »

*

Alfred et Caroll Woodehouse ne s'étaient pas rendus à l'enterrement. Chaudement vêtus, ils avaient choisi ce jour pour mener leur seconde journée d'action, qui consistait à rendre visite aux personnes qui n'avaient pas encore signé la pétition contre le festival de cinéma, interroger les indécis, savoir s'ils avaient eu le temps de réfléchir. Ils récoltèrent plusieurs dizaines de nouvelles signatures.

Ils ne s'arrêtèrent pas devant la maison des Waterfalls qui avaient déjà signé. Cependant, Rose Waterfalls sortit sur le perron vêtue d'un gros pull lorsqu'elle les vit passer, levant son nez en trompette refait.

« Oh bonjour ! Alors ? Comment ça avance ? demanda-t-elle.

- Pas mal du tout, dit Alfred en passant une main sur ses cheveux gris coupés en brosse.

- Vous étiez à l'enterrement ce matin ? demanda Caroll.

- Oui, j'en viens. Je suis encore frigorifiée.

- Il devait faire une de ces têtes, le frenchie.

- Oh mais vous ne savez pas le meilleur ?! Il est venu tout seul ! Sans sa femme ! Il doit vraiment y avoir de l'eau dans le gaz chez ces deux-là, vous vous rendez compte ?

- Sans doute, mais techniquement, Brooke Jovignot ne pouvait pas être à l'enterrement. En fait elle est partie rendre visite à sa famille à Houston » dit Caroll.

Rose Waterfalls cligna plusieurs fois des yeux et sembla oublier de frissonner dans le froid glacial.

« D'où vous tenez ça ?

- C'est Gina Flare qui me l'a dit tout à l'heure. Elle emploie la même femme de ménage que les Jovignot. Elle leur a dit qu'elle n'allait pas chez les Jovignot en ce moment car Brooke est partie voir sa famille.

- Alors ça, c'est très surprenant. »

Rose Waterfalls resta interdite quelque instants, comme traversée d'une idée fulgurante.

« Je file, vous m'excusez ? J'ai un coup de fil urgent à passer. Et je gèle. »

*

Susan Petit disposait soigneusement les tracts contre RJ Company sur le rebord de son comptoir lorsque Melanie Hunter entra dans sa blanchisserie avec un sac de draps, ses longs cheveux corbeau coincés dans un bonnet à pompon.

« Bonjour Melanie, dit-elle en lui tendant un tract.

- Bonjour Susan. Merci mais j'ai la même pile dans ma boutique.

- J'en conclus que vous avez signé vous aussi.

- Evidemment, quelle question !

- J'espère qu'après ça il ramassera ses affaires et quittera le coin ce pourri de français. Qu'il nous débarrasse le plancher avec sa godiche.

- Ne m'en parlez pas, dit Melanie. Et vous ne savez pas la dernière ? Ils ont congédié Ella, ma nièce. Elle venait garder leur gamine presque tous les jours après les cours.

- Qu'est-ce qu'il s'est passé ?

- Mais rien ! Rien du tout ! Tout se passait bien. Jovignot lui-même me l'a dit l'autre jour en venant au magasin acheter je ne sais plus combien de flacons de parfum. Ils en étaient très content, d'Ella. Et du jour au lendemain, on l'appelle pour lui dire de ne plus venir. C'est comme ça. On prend les gens et on les jette.

- Vraiment ? Ils ont définitivement viré votre nièce ?

- Comme une malpropre.

- La pauvre. C'est vraiment dégueulasse. »

Susan Petit sourit et ramassa le linge sale de son amie.

« Vous voulez savoir qui garde la petite maintenant ?

- Qui ça ?

- Marina Chang. C'est Norma Blank qui me l'a dit. Elle a vu le français déposer sa fille au Mekong avant d'aller travailler. Norma est allée vérifier quelques heures plus tard et la petite y était toujours. Elle faisait des coloriages sur une table.

- Ces gens sont vraiment bizarres.

- Sans blague ... »

*

Juliana ouvrit la porte de Rob et Marina Chang entra dans son bureau. Elle tenait Georgia par la main. Elle regarda son protégé avec inquiétude. Rob était blafard. Il avait maigri ces derniers temps. Il avait les yeux creusés, le visage endeuillé.

« Ça a été avec Georgia ? demanda-t-il.

- Très bien. Elle a bien mangé ce midi et elle s'est amusée comme une folle avec mes petites-filles.

- Merci Marina. Tu m'as sauvé, je ne savais pas quoi faire. Je ne pouvais pas l'emmener à l'enterrement.

- Evidemment. »

Georgia, pouce dans la bouche, fit le tour du bureau et grimpa sur les jambes de son père qui posa un baiser sur son crâne.

« Robert, est-ce que tout va bien ? »

Il leva la tête vers son amie, sans oser répondre. Mentir à Marina était une tâche pénible. C'était mentir à la seconde mère qu'il avait sur ce continent. Et il avait enterré la première ce matin. Il laissa échapper un bâillement pour faire diversion.

« Je m'inquiète pour toi, tu as l'air épuisé.

- Ça va, ça va. C'est un peu difficile en ce moment avec tout ce qu'il se passe. J'ai la moitié de la ville à dos. Mais je tiens bon.

- Robert, tu n'as pas que des ennemis ici, sois-en sûr. Et je suis là s'il y a quoi que ce soit.

- Tu n'as pas besoin de me le dire, Marina. »

*

Il avait réussi à rester concentré sur ses dossiers plus d'une heure. Une parenthèse salvatrice où il avait eu le loisir de presque tout oublier. Y compris sa propre fille. *Merde !!!* Rob se leva d'un bond, paniqué. Georgia n'était pas avec son assistante avec qui il l'avait laissée gribouiller des feuilles de papier.

« Juliana ?! Où est ma fille ? »

Elle est sortie. Elle s'est perdue. Non, elle est allée au lac ? Elle est tombée sur un prédateur. Elle est ...

« Georgia est dans les cuisines de l'hôtel.

- Quoi ? fit-il, à moitié rassuré seulement.

- Je lui ai fait faire un tour de l'hôtel pour qu'elle se dégourdisse et elle a voulu rester avec Natale, ne vous inquiétez pas. »

Il s'empressa de traverser la cour glaciale sous un ciel laiteux et lourd jusqu'à l'hôtel, en espérant que Georgia n'ait pas échappée à la surveillance du chef. Mais le milieu d'après-midi était calme, les cuisines vides, et il trouva Georgia sculptant des formes hasardeuses dans de la pâte à pizza. Natale gardait un oeil sur elle et l'autre sur une sauce qu'il remuait sur le feu.

« Ah tu es là !

- Papa, poulet, regarde, dit la petite en brandissant une boule de pâte informe.

- Oui, c'est vraiment beau. Mais viens maintenant. C'est pas pour les enfants ici. Tu vas me faire de beaux dessins avec Juliana d'accord ? »

La petite secoua la tête et aplatit ses mains sur la pâte farineuse.

« Pas dessin.

- Ok » soupira Rob en soulevant sa fille qui se mit à pousser des cris aigus mêlés de pleurs.

Georgia agitait ses courtes jambes, se débattait en criant dans ses bras. Elle avait trois ans mais ne s'était jusqu'à présent jamais comportée de la sorte. D'ordinaire obéissante, elle faisait aujourd'hui son premier caprice sous les yeux étonnés de Natale qui observait son patron se démener avec sa progéniture. *C'est vraiment pas mon jour.*

« Georgia mais qu'est-ce que tu nous fais là ? »

Elle doit être complètement perdue. Elle comprend qu'il se passe de sales choses en ce moment. C'est sa manière de craquer.

« Monsieur Jovignot, dit Natale. Laissez-la-moi, ça ne me dérange pas. Je la surveille.

- Vous êtes sûr ? Mais elle va vous déranger, fit Rob, hésitant à reposer sa fille.

- Pas du tout. C'est calme pour l'instant. Je la déposerai à Juliana avant le premier service du soir.

- Bon, d'accord. Mais vous n'êtes pas obligé.

- Ça ne me dérange pas. J'ai surveillé mes petites soeurs pendant des années, parfois les trois en même temps, et croyez-moi, contrairement à votre fille, mes soeurs étaient de vraies terreurs. J'ai l'habitude.

- Alors je vous la laisse ? Mais si elle vous cause des ennuis, vous la ramenez tout de suite au bureau. »

Natale acquiesça. Rob quitta la cuisine, ignoré par sa fille qui avait repris ses modelages dans le calme.

« Qu'est-ce que tu veux pour le goûter Georgia ?

- Tarte ».

Natale se mit au travail. Il y mit tout son coeur. Il lui déposa des viennoiseries en attendant que la pâte soit cuite, et lui fit choisir les fruits qu'elle voulait pour lui presser un jus sur-mesure. Il disposa les fruits au sirop sur la tarte avec une boule dans la gorge. S'il pouvait fonder une famille ici, il y serait moins triste en permanence.

Si seulement cela était possible la femme qu'il aimait.

*

Le vent du soir frappait aux carreaux de la chambre, derrière les lourds rideaux de velours beige. Rob installa le plateau qu'il avait préparé avec soin sur les genoux de Brooke, par-dessus l'épais couvre-lit. Il avait fait réchauffer au micro-ondes le risotto aux champignons que Natale Parlante lui avait mis à sa demande dans un Tupperware avant qu'il ne quitte le bureau. Le plat trop chaud dégageait une fumée agressive, voilant le visage suintant de Brooke adossée à la tête de lit capitonnée.

« Allez, mange » l'encouragea Rob lorsque le plat cessa de fumer.

Brooke s'exécuta mollement. Elle attrapait quelques grains de riz des pics de sa fourchette et les mâchait du bout des lèvres. Elle aurait dégusté son dîner sans se faire prier en temps normal, veillant jalousement son assiette comme si l'on allait la lui voler. Comme si sa mère allait s'en emparer pour nourrir le chat. *Je sais pourquoi, maintenant.*

« Je sais que tu n'as pas faim, mais tu as besoin de forces. »

Il guettait des signes encourageants mais n'en voyait pas. Brooke transpirait toujours autant, coulait, sans pour autant qu'elle n'ait de fièvre. Son odeur épouvantable emplissait la chambre. Elle gardait désormais la bouche fermée pour ne plus effrayer son enfant de sa voix de monstre. Rob fixait le cadre où ils apparaissaient un an plus tôt, radieux devant le lac, Georgia debout à leurs pieds. Il avait tenu à la faire encadrer car il se trouvait à son avantage dessus, au contraire de son épouse, irréelle de beauté sur chaque cliché que l'on prenait d'elle. Même sur les photos ratées. *Qu'est-ce qu'il s'est passé en si peu de temps ... Bordel mais pourquoi ?*

« Je sais que tu vas aller mieux. »

Il dressa l'oreille. Il y eut un crissement de graviers. Une voiture pénétrait dans l'allée. Qui ça peut être ? Il était presque vingt-deux heures. Il se leva et rabattit une mèche poisseuse derrière l'oreille de Brooke.

« Je vais voir qui c'est, je reviens. »

Il guetta le visiteur inattendu depuis la fenêtre de l'entrée. Une berline s'arrêta sous les halos des réverbères. Un chauffeur élégant en sortit et alla ouvrir la portière.

Merde, non, pas ça !

Le chauffeur regagna l'habitacle et resta stationné, tandis que Leonard et Diana Mathis marchaient en direction de la villa. *Qu'est-ce qu'ils viennent foutre ici c'est pas vrai !* Il se plaqua contre le mur et vit le père de Brooke appuyer sur la sonnette, et sa mère insister juste après lui. Sans réponse, Leonard Mathis frappa vigoureusement sur la porte. Georgia ne tarderait pas à se réveiller en sursaut dans la chambre d'amis à cause du tapage. *Pas le choix.* Il ouvrit.

« Où est ma fille ? » fit Diana Mathis en l'écartant sur son passage.

Le père de Brooke lui emboîta le pas.

« Où est Brooke ? fit-il en écho

- Du calme, vous allez réveiller Georgia.

- Vous avez dit aux Waterfalls que Brooke était chez nous à Houston ! dit Leonard. Vous avez menti !

- Où est-elle ? cria sa femme.

- Nous sommes au courant de vos frasques, Robert, nous sommes très inquiets.

- Je vais vous demander de partir » dit Rob en essayant de garder son calme.

Personne n'avait vu Georgia descendre lentement au bas de l'escalier en pyjama. Elle dévisageait ses grand-parents d'un oeil intrigué. Elle ne se souvenait pas d'eux, et ne les avait jamais vu en photo. Diana Mathis se baissa et se saisit de Georgia comme un oiseau géant attrape un rongeur dans ses griffes. Georgia cria de peur et remua pour s'échapper.

« Lâchez la tout de suite Diana ! Rendez-moi ma fille ! »

Il se précipita sur Georgia qu'il tentait de récupérer sans lui faire mal mais sa belle-mère s'y agrippait. La petite était terrifiée.

« Vous, rendez nous notre fille ! » criait Diana.

Rob parvint à récupérer la totalité de Georgia contre lui. Au même moment, le pas lourd de Leonard Mathis tonna sur les marches de l'escalier, sa femme courut aussitôt derrière lui sur ses talons aiguille.

Rob laissa les intrus monter. Il dévala les marches de la cave avec sa fille dans les bras, chercha la clé des vitrines d'une main tremblante et s'empara d'un fusil de chasse de George Hansen. Il remonta aussitôt, sa fille dans une main, l'arme de l'autre qu'il tenait derrière lui.

Leonard et Diana étaient restés debout, au pied du lit de leur fille. Trop choqués de son état pour parler, ils la fixaient, en proie à un effroi silencieux. Un effroi absolu. Diana avait plaqué une main sur son nez, atterrée par l'odeur infecte régnant dans la chambre. Brooke était pétrifiée, observait ses parents tour à tour en se recroquevillant contre la tête de lit, les mains harponnées aux draps, cherchant à reculer encore. Leonard se retourna et aperçut son gendre.

« Qu'est-ce que vous avez fait de ma fille espèce de sac à merde ?

- Sortez d'ici immédiatement !

- Ordure ! Pourri ! Menteur ! éructa le père de Brooke. Vous allez me rendre l'argent que j'ai investi ! Je vais vous poursuivre !

- Avec grand plaisir. Mais sortez d'abord. On réglera ça à distance avec nos avocats.

- Je ne laisserai pas ma petite-fille avec vous » menaça Diana en tendant ses bras maigres vers Georgia.

Rob reposa aussitôt sa fille derrière ses jambes et pointa le canon du fusil sur la mère de Brooke.

« Essayez seulement de toucher à ma fille et je vous bute. Tous les deux. Je vous jure que je le fais. Vous êtes des tortionnaires ! Essayez ! Essayez seulement de toucher un cheveux de ma femme ou de mon enfant ! »

Rob rugissait de rage, postillonnait, ses veines enflaient sur sa peau devenue écarlate. Georgia pleurait. Le couple Mathis, sonné, recula et s'engagea dans l'escalier.

« Nous n'en resterons pas là ! » cria son beau-père parvenu en bas des marches.

Rob attendit d'entendre la Berline démarrer et s'élança en bas. Il ferma la porte à clé, tourna tous les verrous et surveilla le véhicule jusqu'à ce qu'il eut disparu en bas de la colline.

« Allez, calme-toi » dit-il en séchant les larmes de sa fille.

Il la déposa sur son matelas provisoire au sol de la chambre d'amis. Elle reniflait encore. Il la quitta en laissant la lumière allumée.

« Je reviens » lui promit-il.

Dans leur chambre, Brooke était livide, figée dans une posture encore pétrifiée, comme une deuxième enfant effrayée. Elle fut à peine rassurée en voyant Rob réapparaître seul sur le seuil. Il marcha doucement vers elle, s'assit sur un coin du lit et caressa ses cheveux collants.

« Ils sont partis, murmura-t-il. Je ne les laisserai plus jamais te faire de mal. »

CHAPITRE 9

Ralph Hayes fit un dernier tour des salles du George Palace avant de rentrer dormir dans son apparement. Les clients couche-tard avaient déserté le bar peu après minuit. Lorsqu'il traversa la salle de restaurant plongée dans le noir, il s'étonna d'entendre du bruit dans la cuisine et ouvrit les portes battantes.

Natale Parlante s'affairait dans la lumière crue des lieux. Il leva à peine les yeux lorsqu'il vit son collègue entrer.

« Natale ? Qu'est-ce que vous faites à cette heure-là ? Vous ne devriez pas aller vous coucher ?

- Pas maintenant, je voulais préparer des pâtisseries italiennes pour demain.

- Ah, fit Ralph en réprimant un bâillement. Pourquoi le faire à cette heure-ci ?

- Parce que Jovignot m'a dit qu'il reviendrait avec sa fille demain. Elle a passé l'après-midi avec moi aujourd'hui, et je veux lui préparer un goûter italien.

- C'est gentil mais vous vous donnez du mal. Un morceau de chocolat ou une pâtisserie lui irait très bien non ? Elle n'a que trois ans, elle ne verra pas la différence pourvu qu'il y ait du sucre.

- Sûrement. Mais ça me fait plaisir. J'adore les gosses. J'ai rarement l'occasion de cuisiner pour des petits ici à part les nouilles au jambon des menus enfants.

- Si vous y tenez ... »

Ralph ne partait pas. Natale releva les yeux en s'essuyant les doigts dans un torchon, le regard interrogateur. Ils n'échangeaient que quelques mots rapides d'habitude, et uniquement pour le travail.

« Ça va vous sinon ? demanda-t-il à Ralph.

- Oh oui... vivement les fêtes, histoire de voir un peu plus de couleurs.

- Oui, les fêtes, moi aussi j'aime bien. »

Ils n'étaient déjà pas doués pour converser ensemble, et le fait qu'ils n'osaient pas évoquer les vrais sujets rendait cet embryon de conversation plus triste encore. Ils voulaient se donner la voix légère mais sentaient l'atmosphère de plus en plus lourde, de plus en plus dense, chaque jour qui passait. Les deux collègues qui ne s'appréciaient que peu se savaient menacés par le même orage. Ils sentaient que les choses allaient se gâter pour tout le monde ici. A cause des menaces qui planaient sur la tête de Jovignot, des habitants qui commençaient à se déchainer, des colères qui montaient.

« Bon ... je rentre chez moi, annonça Ralph. Pensez quand même à dormir.

- D'accord. Bonne nuit Ralph.

- A demain », dit ce dernier en disparaissant des cuisines.

Une heure plus tard, Natale sortit une première fournée de sfogliatella. Il y en avait une trentaine. Sachant pourtant que l'enfant ne mangeait jamais tout ça, il décida de s'atteler à une nouvelle recette de beignets. Il avait laissé reposer une énorme masse de pâte sur l'îlot central. Il vérifia la marmite d'huile qu'il avait mis sur le gaz. L'huile se mit à frémir. Natale se frotta les mains. Il saisit deux emporte-pièces en forme de coeur et d'étoile et son coeur se mit à battre plus fort lorsqu'il se retourna.

Il lui avait semblé voir la pâte remuer. Il s'approcha et déposa prudemment les emporte-pièces. La pâte était épaisse et compacte. Il n'y avait pas laissé d'air, l'avait suffisamment pétri. Elle n'avait pas pu s'affaisser. Il fit un pas en arrière.

C'était bien la pâte qui bougeait. Elle était mouvante, ondulait légèrement. Une légère secousse se fit sentir dans la pièce. Natale cru avoir rêvé. Pourtant il avait bien senti le sol trembler sous ses pieds. Pourtant, les ustensiles aux murs s'étaient entrechoqués, et vibraient encore doucement, pendus à leurs crochets. Natale sentit le goût de la peur dans sa bouche. Il se passait quelque chose. Il attendit que son coeur cesse de s'affoler.

Au milieu du plan de travail, l'énorme amas de pâte palpitait, comme doté d'un coeur énorme. La matière membraneuse et blanche secouée de spasmes réguliers. Et la masse bougeait, gélatineuse, se muait en boule. La chose enflait sous les yeux horrifiés du chef cuisiner. La boule enflait, palpitante et obscène, chargée de liquide visqueux. Soudain des flammes bleues jaillirent de toutes les gazinières. La casserole d'huile se mit à bouillir à grosse bulles.

Et la boule de pâte enflait, grossissait, difforme, s'étirant à présent jusqu'au plafond. Elle heurta bientôt le flanc du cuisinier d'une secousse molle, aussi puissante qu'elle était flasque. Il recula d'un bond. Une forme de main inhumaine en sortit, une main énorme à sept doigts, de la taille d'un buste entier. Elle prit vie, remua dans sa matière farineuse. Sans qu'il n'eut le temps de se défendre, la main s'aplatit sur la tête de Natale. La préparation à pâtisserie qui avait pris vie était lourde et forte. Elle poussait Natale vers les plaques où sévissaient des flammes furieuses. Il repéra un couteau tranchant, s'en saisi de toute sa force et l'abattit sur la pâte.

Il avait tranché net. La main coupée dans la pâte tomba sur le carrelage avec un bruit mou écoeurant.

« Je t'ai eu, saloperie ! »

Le temps de prononcer ces mots, une autre main s'était reformée. Une main plus forte et plus lourde. Natale suffoqua de terreur, le couteau s'échappa de sa main tremblante et tinta sur le sol. Il hurla. La main s'abattit de tout son poids sur sa tête.

Et son hurlement mourut en même temps que lui, le visage plongé dans la marmite d'huile bouillante.

*

Robert se réveilla en sursaut à cinq heures du matin. D'abord désorienté, il se souvint qu'il était dans la chambre d'amis. Le téléphone de la maison sonnait dans le vide et s'était intégré à son rêve. Il songea à ses beaux-parents, sans doute s'étaient-ils mis en tête de les harceler. *Hors de question que je décroche. S'ils veulent faire du chantage ils sont tombés sur le mauvais pigeon.* A ses pieds, la forme de Georgia sous la couette remuait sur son matelas. *Merde !* Il se leva d'un bond et courut décrocher.

« Vous allez nous foutre la paix, oui ?

- Robert Jovignot ? »

Ce n'était pas la grosse voix de Leonard Mathis. Celle-ci ne lui ressemblait en rien.

« Oui ? Qui est à l'appareil ?

- C'est la police. Je vous appelle du George Palace.

- Quoi ?

- Il s'est passé quelque chose de grave. Est-ce que vous pouvez venir ?

- Qu'est-ce qu'il s'est passé !?

- Votre chef cuisinier s'est suicidé.

- Pardon !?

- Monsieur Natale Parlante. Il s'est suicidé dans la cuisine. »

Rob laissa retomber le combiné. Il entendit l'inspecteur l'appeler depuis le sol. *C'est un canular*, tentait-il de se convaincre. *C'est une blague. Une mauvaise blague. Ce n'est absolument pas vrai. Il n'y a personne au bout du fil. J'ai rêvé. C'est juste un cauchemar.* Il saisit fébrilement le téléphone.

« Monsieur Jovignot, fit la voix, bien réelle. Est-ce que vous pouvez venir maintenant.

- J'arrive... »

D'un pas trainant, amorphe et résigné, il alla chercher Georgia dans la chambre d'amis. Il s'arrêta dans l'entrebâillement de la porte. Elle dormait. *Impossible. Je ne peux pas l'emmener sur les lieux d'un drame.* De plus que sa fille venait de passer l'après-midi avec la personne qui venait de mourir. *Oh mon Dieu quelle horreur ...* Il allait devoir la laisser là. *Le temps de l'aller-retour au moins, ça devrait pouvoir aller.* Il se rendit sur la pointe des pieds dans la chambre parentale afin d'y laisser une note pour prévenir Brooke, si jamais elle se réveillait avant qu'il ne rentre.

Lorsqu'il ouvrit la porte, Brooke était assise la pénombre, au milieu du lit comme au centre d'un radeau. Son coeur fit un bond dans sa poitrine.

« Tu es réveillées chérie ? »

Il alluma une lampe de chevet. Quelque chose n'allait pas. Rob ne comprit pas immédiatement. Il se frotta les yeux. C'était bien ce qu'il avait cru. Brooke avait des crevasses sur tout le visage. De longs sillons qui courraient partout sur sa peau luisante, tel un mannequin de bois couvert de cire. Rob gémit de terreur, il sentit sa vessie sur le point de lâcher. Dans le noir, sa femme respirait doucement, les yeux ouverts.

« Je dois partir, dit-il d'une voix qu'il voulait calme. Je reviens ».

Il sortit de la chambre en reculant et Brooke disparut dans le noir.

Haletant, perturbé, il alla récupérer Georgia ensommeillée. Il l'enveloppa dans sa couette d'un geste imprécis et l'emmena avec lui.

Il n'y a plus d'autre choix.

*

Il descendit à Woodburg, conduisant comme pour se rendre à l'échafaud. Une masse informe d'habitants tirés du lit par les sirènes se tenait dehors, manteaux et bottes fourrées enfilés à la hâte par-dessus les pyjamas, leur souffle s'élevant en halos de vapeur.

Rob entra par la porte à tambour avec sa fille et tomba sur Ralph Hayes, livide, il semblait tenir par des fils invisibles à la réception. Dans une concertation muette, Ralph récupéra Georgia qui se rendormit aussitôt contre lui. Le directeur financier se sentait maladroit. Il n'avait pas tenu un enfant dans ses bras depuis la dernière fois qu'il avait tenu son fils. Il s'éloigna avec la fille de son patron, traversa les salles le plus loin possible des cuisines en murmurant des paroles insouciantes à la fillette endormie, d'une voix qu'il ne pouvait empêcher de trembler.

Robert suivit les policiers jusqu'à la cuisine. La pièce était sans dessus-dessous comme si une lutte à mort avait eu lieu en son coeur.

« Nous avons fait transporter le corps à la morgue, annonça son interlocuteur.

- Comment a-t-il fait ça ?

- Il s'est plongé la tête dans une marmite d'huile bouillante après avoir fait des gâteaux. »

Quoi ??! A ces mots, Rob sentit comme un maillet venir cogner derrière ses deux genoux, il eut un vertige.

« C'est affreux mon Dieu ... c'est affreux. »

Les flics le laissèrent absorber l'horreur qu'il venait d'entendre, sachant que ce ne serait jamais suffisant. Qu'une vie entière n'aurait pas suffit à imaginer quelqu'un que l'on a connu et apprécié se brûler la tête de son plein gré.

« On nous a dit que Monsieur Parlante occupait un appartement dans l'enceinte de l'hôtel.

- Oui, murmura Rob. Sous les combles. Vous voulez le voir ?

- S'il vous plaît, fit poliment l'inspecteur.

- Je vais vous chercher un double de la clé. »

Le policiers fouillèrent la chambre. En dehors de vêtements et de livres en anglais et en italien, il y avait peu d'effets personnels. L'un deux éplucha un tiroir où il trouva un album photo. Rob s'approcha et y jeta un oeil par-dessus l'épaule d'uniforme. Il s'agissait d'un album de famille. Natale y apparaissait souriant, bien avant qu'il le connaisse, entouré de ses parents et de ses petites soeurs aux visages rieurs adorables. Il eut un coup à l'estomac, une légère nausée, lorsqu'il comprit qu'il allait devoir lui-même contacter cette famille pour leur annoncer que Natale, leur Natale, venait de mourir. Deux clichés glissèrent des pages de l'album. Rob les ramassa sur le parquet et les tendit aux inspecteurs. Deux photos d'une même série, où une femme en soutien-gorge était endormie sur le lit étroit qui se trouvait devant eux. Une femme superbe à la peau parfaite.

« Vous connaissez cette femme ? » demanda l'inspecteur.

Rob dut s'agripper à la commode. Pour ne pas flancher.

« Oui. C'est ma femme. »

Les deux hommes le dévisageaient, allant de la surprise à la pitié, de la perplexité à la gêne.

« Bien, fit le plus âgé. Monsieur Jovignot, nous sommes sincèrement désolés pour cette perte. J'avais entendu dire que c'était un excellent chef. »

Rob n'eut la force que d'acquiescer.

« Nous devons y aller, nous en avons terminé. »

Ils partirent. Robert resta encore un long moment sur place, incapable du moindre mouvement.

*

Il descendit jusqu'au rez-de-chaussée comme un zombie, d'une démarche de somnambule, hagard. Il tomba sur Juliana. En larmes, son assistante lui courut dans les bras. Il lui passa une main sur la tête d'un geste mécanique, absent, seul réconfort dont il fut capable. Même son débit verbal, lorsqu'il parla enfin, fut le même que celui d'un robot.

« Ma fille est avec Ralph. Vous pouvez la récupérer et la garder avec vous ? J'ai des coups de fil à passer.

- Bien sûr », dit-elle en reniflant fort.

Il commença par le plus facile. Il téléphona à Marina Chang et lui demanda si elle accepterait de fermer momentanément le Mekong pour cuisiner au George Palace. Cette dernière accepta après une brève réflexion. Elle avait appris ce qu'il s'était passé à l'hôtel et déclara que son fils aîné gérerait le Mekong à sa place le temps qu'il faudrait.

Rob ouvrit ses placards à la recherche du dossier de Natale. Il fouilla longtemps aux mauvais endroits, oubliant ce qu'il cherchait, délavé par les évènements. Il mit la main dessus après plusieurs minutes de tâtonnements. Il l'ouvrit, y vit la photo d'identité de Natale. Le chef avait encore les cheveux bouclés à l'époque, avant qu'il ne se tonde régulièrement le crâne. *Et ne se tape ta femme.* Il trouva les coordonnées de sa famille à Milan, vérifia l'heure et composa le numéro. Une femme à la voix puissante décrocha en italien et il sut que la barrière de la langue rendrait la tâche plus atroce encore. *Comment expliquer à quelqu'un qui ne vous comprend pas que son fils est mort ?*

La femme au bout du fil ne parlait pas anglais. De l'autre côté de l'Atlantique, le combiné semblait passer de mains en mains, où des voix féminines énervées de succédaient, s'exprimant dans un anglais à couper au couteau.

« Natale est mort », répéta-t-il plusieurs fois.

Il répéta la phrase en boucle, l'espaça de quelques secondes à chaque fois, le temps de tomber sur une oreille qui comprenne le sens de ces mots. Il s'évertua à les répéter, la mort dans l'âme, se sentant se mortifier un peu plus à chaque fois.

« Natale est mort ».

Il comprit que la nouvelle était passée quand résonnèrent les premiers cris déchirants. Il essaya, au milieu des pleurs assassins de douleur, d'annoncer qu'il allait faire rapatrier le corps de Natale à Naples. Lorsque la communication fut coupée, il n'était pas certain que l'information sur le transfert de la dépouille soit passée, tant les cris et les pleurs imperméabilisaient les sons.

Il laissa filer un long temps mort à absorber le vide, à se repaitre d'un néant indolore avant d'appeler sa soeur en France. Réveillée en pleine nuit, Claudine décrocha au bout de quelques sonneries. A peine eut-elle prononcé son nom qu'il fondit en larmes.

*

La journée passa comme un vertige, traversé ivre, à contre-sens dans un flou intermittent.

Robert avait fait renvoyer par une Juliana aux yeux enflés les vagues successives de curieux et de journalistes venus frapper aux portes de RJ Company. Une odeur de tabac empreignait les locaux. Stella Wings avait fumé deux paquets de cigarettes dans son bureau. Lorsqu'elle ne fumait pas, elle pleurait. Et inversement.

Est-ce que je vais moi-même mourrir pour avoir couché avec ma propre femme ? se demandait Rob, amer. *Mon Dieu, qu'est-ce qu'il m'arrive exactement ? Je ne sais plus quoi faire.*

La nuit tombait et il ne voulait pas rentrer chez lui. Il voulait rester dormir à l'hôtel et garder sa fille avec lui. *Impossible. Impossible de laisser Brooke dans cet état sans aller voir comment elle va.* Il n'avait même pas pris la peine de lui téléphoner dans la journée de peur d'entendre sa voix encore aggravée. Il ne pouvait envoyer personne à sa place. Si quelqu'un voyait son épouse dans cet état, il ne le supporterait pas.

*

Brooke dormait lorsqu'il fut rentré. Rob s'était arrangé pour que Georgia n'entre pas dans la chambre de sa mère, il ne voulait pas qu'elle soit effrayée par son apparence. La petite dormit recroquevillée sur le matelas au sol de la chambre d'amis. Robert resta longtemps éveillé, les yeux ouverts dans le noir, avant de sombrer d'épuisement.

Tandis qu'il dormait, un groupe d'hommes vêtus de noir et coiffés de cagoules pénétra sur le chantier du Country Club après en avoir saboté alarmes et caméras.

« Rappelez-vous, les gars, fit une voix étouffée dans une écharpe. On a des moyens limités. Donc maximum de dégâts avec le minimum de bruit. »

Ainsi, l'équipe se mit au travail. Ils dégradèrent les outils transportables qui traînaient, crevèrent les pneus des engins de chantiers avant d'en siphonner le carburant, enduisirent les murs en construction de déjections. Les pierres de Bourgogne furent souillées de peinture à la bombe qui s'infiltra dans la roche. A l'aide de pioches, ils éventrèrent les pelouses sur plusieurs dizaines de mètres. Ils crevèrent également chaque bâche de protection qu'ils trouvèrent sur le chantier, laissant le crachin faire le reste.

Ils quittèrent le chantier au moment même où les exemplaires du Daily Woods furent achevés d'imprimer, le suicide de Natale Parlante pour gros titre.

CHAPITRE 10

« Alors, c'est récupérable ? » demanda Spencer Billings.

L'avocat serra la main de Matthew Norbert. Il était venu à la première heure lorsqu'il avait été informé de la dégradation nocturne du chantier.

« Récupérable oui, soupira l'architecte. Mais ça va retarder les travaux. Et pas qu'un peu.

- Vous avez une estimation des délais ?

- A vue de nez, là, rien que pour réparer les dommages de cette nuit je dirais déjà trois semaines. Les bâches ont été ouvertes. Le pluie a dégradé certains matériaux qu'il va falloir remplacer.

- Oui, c'est la tuile. »

Rob restait planté sous le crachin, en imperméable entre son avocat et son architecte. Il laissait les deux hommes discuter comme s'il n'était qu'un figurant, un type qui passait par là et s'était mis sur pause.

Spencer évoqua les démarches qu'il allait déclencher au niveau des assurances. Il annonça qu'il faudrait attaquer l'entreprise de sécurité dont les alarmes s'étaient révélées inefficaces et porter plainte pour les dégradations.

« Tu m'écoutes, Rob ? dit Spencer.

- Hein ? »

Ils avaient pris congé de Matthew Norbert et redescendu le chantier vers le parking sans que Rob ne s'en aperçoive. Rob sortit de sa léthargie comme s'il venait de traverser une porte invisible qui lui eut désembué le cerveau.

« Spencer, je peux te demander un service ?

- Dis-moi toujours.

- Est-ce que tu veux bien garder ta filleule pour quelques jours ?

- Georgia ? Bien sûr, pourquoi ?

- C'est le brouillard en ce moment, je ne m'en sors pas. Juste le temps que les choses rentrent dans l'ordre.

- Tu peux compter sur moi.

- Merci... »

*

Il entra dans son hôtel. C'était comme s'il n'était rien arrivé. Comme si Marina Chang ne remplaçait pas en cuisine son ancien chef qui s'y était tué. Il y avait un semblant de normalité lorsque l'on déambulait au rez-de-chaussée.

Les employés de l'entreprise Winter Dreams dotés de bonnets de Père Noël clignotants terminaient d'installer les nombreuses décorations de Noël du Palace comme chaque année. Le sapin de la grande salle était en place, et les guirlandes de la façade attendaient leur premier soir de magie.

Rob se fondit parmi les clients, se promena dans les salles sur le lac, tentait de revoir l'étendue d'eau avec les yeux du jeune homme qu'il avait été. Il retourna sur ses pas, et marcha dans la galerie où se trouvait le portrait de George Hansen. Il resta longtemps devant le tableau.

Si seulement vous étiez encore là, George. Si seulement vous pouviez m'aider. Si jamais vous m'entendez, je vous en supplie, aidez-moi.

*

Le visage heureux de Natale Parlante imprimé sur la couverture du journal local et son titre horrifiant resta lettre morte en bout de table. Andrea Perez avait entendu dire qu'il était arrivé quelque chose d'affreux au chef italien du George Palace, mais il n'avait pas le temps d'en apprendre davantage pour l'instant. La reprise du poste de directeur du Country Club était un cadeau dont il tenait à se débarrasser du poison. La somme de travail était considérable. Il ne pouvait pas compter sur l'aide Robert Jovignot en ce moment. L'homme d'affaires semblait avoir son lot de problèmes, dont celui des dégradations du chantier survenues dans la nuit. Et les retards pris dans la gestion courante de l'établissement suite au décès d'Aidan représentaient une tâche immense dans ses mains d'ancien masseur fraîchement promu. Il en était fier, cependant. Il n'était pas question de se laisser distraire.

Le jeune homme avait mal à la tête. La douleur avait commencé le matin même lorsqu'il avait quitté Samsontown. Il n'avait jusqu'ici pas trouvé le temps de prendre un cachet et attendait incessamment sous peu l'arrivée de l'entreprise chargée de décorer le Country Club pour les fêtes de fin d'année.

Depuis le début de la matinée, la douleur s'aiguisait dans son crâne. Lorsque la porte fut brutalement ouverte, malgré la surprise, il avait songé une seconde que c'était son secrétaire qui avait pris des libertés avec le savoir-vivre et qu'il le lui pardonnerait volontiers si ce dernier allait lui chercher de l'aspirine. Mais ce fut Lorenza Page qui entra.

« Ah vous êtes là ? »

Oh non pas elle … Il avait cru échapper à cette tordue et ses avances sordides en étant promu. Il s'était trompé. Et cela relança son mal de crâne.

« Madame Page ? Que puis-je faire pour vous ?

- Votre métier.

- C'est à dire ?

- Je veux un massage !

- Hugh n'est pas là aujourd'hui ?

- Le remplaçant que vous avez engagé ? Oui il est là. Mais il est nul !

- Il a pourtant d'excellentes références.

- Oui mais il ne me convient pas » fit-elle en tapant sur la table.

Le coup frappé sur son bureau relança la douleur tapie dans sa tête. Il grimaça, se leva douloureusement.

« Ecoutez, Madame Page, je ne peux plus vous masser, j'ai de nouvelles responsabilités et …

- Je me fous de vos responsabilités. Je cotise une fortune ici, ce n'est pas pour me faire masser par des amateurs. Je n'ai pas … »

La suite de la phrase fut brouillée. Le monologue de Lorenza Page, et son image même lui arrivaient par bribes, comme à travers un écran qui disjoncte. *Depuis des années* … La douleur brûlait … *Bien avant que vous soyez venu au monde* ... Un spasme terrible au milieu du crâne ... *alors j'exige* ... Une **sensation** inconnue sur son visage ... *et c'est un minimum* ... le coeur s'accéléra ... *des membres qui ont leurs habitudes et* ... plus d'air ... *quand même incroyable que* ... ne pouvait plus respirer ... *Andrea, vous m'écoutez ?*

« Andrea ! Andrea ça ne **va pas** !? »

Lorenza Page regardait le **visage** du jeune homme enfler. Un visage devenu difforme en l'espace de quelques phrases d'où perçaient deux yeux à l'expression d'épouvante terriblement humaine.

« Oh mon Dieu. »

Cela devait être un œdème, Lorenza Page en avait déjà vu, son mari en avait fait un en mangeant des fraises. Il fallait prévenir les secours au plus vite. Mais la **tête** d'Andrea Perez enflait trop. Le jeune homme étouffait. Son visage rougi par l'asphyxie gonflait au fil **des secondes** et un filet de sang lui sortait des **oreilles**. Terrifiée, Lorenza Page ne pouvait plus **bouger**. Elle ne put que porter la main à son coeur de peur qu'il n'explose face à l'incohérence de ce qu'elle voyait. Les yeux d'Andrea Perez, ses si **beaux** yeux noirs aux longs cils sortaient de leurs orbites. Ils éclatèrent à deux secondes d'intervalle avec un affreux bruit de pop corn. Et la **peau** continuait de se tendre, se tendre encore, **se** tendre à se déchirer. L'épiderme était sur le point de craquer comme les coutures d'un vêtement trop serré.

Puis la chair explosa, projetant un lambeau suintant sur le visage hurlant de la vieille veuve.

CHAPITRE 11

Woodburg s'était recouverte d'une pellicule de neige dans la nuit, qui devint plus dense au fil des heures. Des salves de gros flocons tombaient régulièrement, par saccades. Sur le feu vert de Rupert Springs, des techniciens sillonnaient les rues principales pour installer les guirlandes de Noël et ériger le sapin géant au milieu de la place entre le kiosque et le manège, qui s'illuminerait dès le soir venu.

Chaque riverain, chaque commerçant avait commencé à décorer sa maison ou son échoppe. A l'exception de Lisa Alvin qui n'avait pas repris le travail depuis la mort d'Aidan Norton. Le salon de coiffure Madame était toujours fermé et prenait la poussière à travers sa vitrine. Le Country Club non plus n'avait pas été décoré. Il avait provisoirement fermé ses portes depuis la veille après la mort tragique de son nouveau directeur. Le prestataire spécialisé en décorations de fêtes s'était garé sur le parking réservé au personnel en même temps qu'étaient arrivés les secours. Andrea Perez était déjà mort. L'avocat de Lorenza Page avait dû intervenir pour suspendre l'interrogatoire de la police, tant sa cliente était bouleversée.

Rob regardait les flocons tomber, retranché dans son bureau, comme attendant l'heure de sa propre mort. Le décompte avant l'échafaud. Il savait qu'au dehors, la colère clignotait au rythme des guirlandes, pulsait à la manière d'un coeur de bête.

La seule chose qu'il ne savait pas encore résidait dans le contenu de la rumeur qui commençait à se propager comme un cancer sur les habitants de Woodburg. Brooke Jovignot n'était plus visible depuis un certain temps. Son mari l'avait sans doute supprimée.

Melanie Hunter en était l'une des plus zélée colporteuse, même si la fréquentation baissait au Shopper en cette saison, le peu de clients qui poussaient la porte de sa boutique suffisaient.

« C'est pour ça que Robert Jovignot a congédié Ella, ma nièce. C'est certainement pour avoir le temps de dissimuler le cadavre de sa femme.

- Cela ne m'étonnerait pas non plus, répondit Mindy, la mère de famille venue acheter un bonnet en laine. Anton Petit pense la même chose que vous, il me l'a dit ce matin quand je suis allée acheter le journal. »

La cliente sortit du Shopper avec son achat. Elle imprima quelques pas dans la neige en marchant vers sa voiture au moment où la mère d'une camarade de classe de sa fille à l'école primaire de Woodburg sortait de son véhicule. Les deux femmes se reconnurent, et Mindy expédia les politesses d'usage.

« J'avoue ce cet homme me fait de plus en plus peur, dit son interlocutrice.

- Il n'est pas net, nous sommes bien d'accord. Et il ne faut surtout pas oublier que sa femme avait eu des aventures avec Aidan Norton, et aussi avec le mari de son amie d'enfance. Ces hommes sont morts tous les deux.

- Arrêtez, ça me glace le sang.

- A moi aussi. Vous avez signé la pétition au fait ? demanda Mindy.

- Evidement.

- Je sais que ça risque de ne pas suffire, il ne faut pas être naïf.

- Personnellement j'aimerais qu'il quitte cette ville. C'est un corbeau de malheur. Vous avez vu ce qu'il est arrivé à ce gamin qu'il a mis à la place d'Aidan Norton ?

- Oh mon Dieu ne m'en parlez pas ... Mais oui il va carrément falloir que Robert Jovignot aille en prison. On n'est plus en sécurité ici entre ces morts bizarres et les dégradations de plus en plus dangereuses.

- Je suis bien de cet avis. Je suis tellement sous le choc de tout ce qu'il s'est passé dernièrement ...

- Vous savez, sourit tristement Mindy. Je crois que tout Woodburg est de cet avis. »

A RJ Company, le moral des troupes était en berne. Chacun vaquait à ses tâches quotidiennes avec le même poids sur les épaules. Quelque chose de leste, d'inévitable. Une guillotine à retardement. Stella Wings fumait cigarette sur cigarette dans son bureau. Juliana avait la tête basse. Jordan Miller le vieux comptable semblait plus vieux que d'ordinaire. Seul Ralph Hayes prenait sur lui, secondait énergiquement son patron qui lui claquait entre les doigts, et dialoguait en cuisine avec Marina Chang qui se démenait pour son protégé rendu amorphe.

Rob était affaissé sur son fauteuil. Son seul soulagement était de savoir Georgia entre de bonnes mains. Spencer Billing s'occupait de sa fille avec l'aide de sa famille à Samsontown. Il ne fallait surtout pas que Georgia voie sa mère. Rob ferma les yeux, et le visage luisant et zébré de crevasses de son épouse se fixa sur sa rétine. Les médecins n'avaient rien trouvé. Rien. Sa femme était en parfaite santé. Elle devenait un monstre, sa voix était méconnaissable, mais elle était en parfaite santé. *Deux jours*. Il se donnait encore deux jours. Sans amélioration, il dissimulerait sa femme sur la banquette arrière et roulerait jusqu'à New York vers un hôpital d'où elle ne sortirait que lorsqu'elle redevenue normale, sans la moindre trace de doute.

« Et Andrea Perez … » lâcha-il dans un murmure solitaire qui revenait sans cesse.

Il n'y avait aucune preuve. Mais il y en avait eu pour Russel Brown, pour Aidan Norton et pour Natale Parlante. La mort subite et inexplicable de l'ancien masseur n'en était que la suite logique. La proximité d'Aidan et d'Andrea lui donnait des sueurs froides. Brooke passait-elle secrètement de l'un à l'autre chaque fois qu'elle se rendait au Country Club ? *Il fallait qu'elle me haïsse vraiment.* Il avait compris trop tard qu'il n'aurait jamais dû accepter l'investissement de son beau-père, que tout devait venir de là. De la fausse couche et la morosité qui s'en était suivie. Brooke s'était vengée.

Respire, respire. Calme-toi. Tu as besoin de toute ta tête. La tentation de se laisser aller était d'une puissance redoutable. *J'ai une crise à gérer. Je ne dois pas craquer.*

Juliana l'avertit d'une voix éteinte qu'une personne parlant français le demandait au téléphone. Rob décrocha.

« Robert ! C'est Patrick.

- Patrick …

- Patrick Jouvier & Fils !

- Ah ... Patrick excuse-moi, j'étais concentré sur un truc compliqué là, je ne t'ai pas reconnu tout de suite.

- Comment ça va ?

- Ça va bien, dit Rob en essayant d'y mettre une tonalité convaincante. Pas mal ajouta-t-il.

- Et les pierres alors ? Elles te plaisent ? »

Il eut un hoquet de douleur au souvenir des pierres imprégnées d'excréments et de peinture indélébile.

« Elles sont magnifiques » parvint-il à articuler.

CHAPITRE 12

Le vieux Lester finissait toujours sa tournée par la villa des Jovignot. Il se gara sur les gravillons givrés de l'allée, s'empara des deux lettres qui restaient au fond de son sac de toile et sortit sous la neige.

D'ordinaire, Brooke Jovignot ou Mary Fine sortaient toujours le saluer avec la mignonne petite Georgia au bout du bras. C'était à la petite qu'il remettait le courrier sous la surveillance de son accompagnante, afin que les enveloppes ne soient pas abîmées.

Mais cela faisait plusieurs jours que plus personne ne sortait le saluer et qu'il se contentait de déposer le courrier dans la boîte aux lettres. L'intérieur de la maison était éclairé, pourtant. Il devait bien y avoir quelqu'un. Pourtant, la villa des Jovignot était pas encore décorée pour Noël. D'habitude, elle était l'une des premières à se revêtir de guirlandes à la lumière dorée et d'une magnifique couronne sur la porte d'entrée.

Lester glissa les deux lettres dans la boîte en bois et, curieux, s'approcha du perron. Peut-être apercevrait-il Madame Jovignot ou Madame Fine. Il avait bien à l'esprit que s'il apercevait l'une ou l'autre, il serait invariablement vexé qu'elle ne sorte plus le saluer, mais la curiosité l'emportait.

Alors qu'il posait le pied sur le porche, Brooke Jovignot apparut derrière un carreau.

Lester recula. Il marcha à l'envers, le coeur battant, sourd, de plus en plus fort. Il marcha les yeux agrandis de terreur. Lorsqu'il pensa s'être assez éloigné, il se retourna et courut sur ses jambes fatiguées jusqu'à son utilitaire. Il risqua un oeil. La maitresse de maison le regardait toujours depuis la fenêtre. Elle n'avait pas bougé.

Il tourna la clé. Le moteur rendu capricieux par l'usure et le froid laissa planer un suspense insoutenable de deux secondes au bout desquelles Lester enfonça à fond l'accélérateur.

Il s'élança en trombe hors de la propriété sur la route étroite et enneigée. Si vite, si haletant, si effrayé qu'il n'eut pas le temps de freiner au premier virage.

L'utilitaire s'éjecta de la route et s'écrasa en contrebas.

Lorsque la carcasse fut immobilisée dans la neige, Lester se tenait toujours les mains agrippées au volant, une crête de pare-brise enfoncée entre ses deux yeux restés ouverts.

*

Avertis par une voisine témoin de l'accident, les secours gravissaient la vallée.

Au même instant, une quinzaine d'activistes des Wolf descendirent de leurs véhicules et coururent vers le chantier laissé en pause à cause des premières neiges. Ils s'y attaquèrent avec des pioches et des marteaux, fracassant les pierres qui avaient été empilées et souillées les unes après les autres. Des explosifs furent placés sur les pierres encore vierges, ainsi que dans chaque engin de chantier qui venaient d'être remplacés. Ce fut Roberta Madden qui appela la police. Elle avait assisté à la scène par hasard en voulant faire des photos du chantier après les dernières dégradations. Elle avait d'abord pensé retarder le moment de prévenir les autorités, afin de prendre le plus de photos possible. Mais la violence de la scène lui avait fait craindre pour sa propre sécurité.

Lorsque la police arriva, les intrus s'étaient déjà enfuis. Robert fut appelé et arriva sur le chantier détruit, l'oeil terne, résigné, sans même feindre de s'indigner. L'air d'un homme autour de qui tout s'écroulait.

Il n'eut l'air vraiment effrayé que lorsqu'il leva les yeux vers la colline et vit un camion de pompiers clignoter en contrebas de sa maison.

« Qu'est-ce qu'il se passe là-haut ? hurla-t-il.

-   Un accident de voiture, répondit un policier. Une camionnette est sortie de la route.

-   Je dois y aller. »

Il remonta en essayant de calmer sa panique, une sensation d'asphyxie dans sa poitrine. Il vit une remorque commencer à extraire le fourgon postal du fossé. Il pâlit un peu plus et conduisit jusqu'à chez lui, ralentissant pour ne pas connaitre le même sort que le facteur.

Il entra. Il faisait chaud dans la maison. Une chaleur étouffante de radiateurs. La villa aurait presque été accueillante s'il n'y avait pas plané cette odeur de pourri insoutenable. Il sentit un haut-le-coeur lui remonter la gorge.

« Brooke ? »

Il n'avait pas le temps de la chercher dans la maison, il fallait qu'il vomisse. Il courut dans les toilettes du rez-de-chaussée et régurgita dans de la bile le peu qu'il avait pu manger dans la cuvette. Il reprit son souffle suffoquant, manqua de vomir de nouveau en aspirant l'odeur de cadavre. *Courage, allez !* Il s'essuya la bouche et se releva. Il devinait une présence derrière lui.

« Brooke ? »

Lorsqu'il se retourna, ses jambes défaillirent.

Brooke était striée de crevasses où coulait une transpiration opaque et luisante. Ses cheveux collés aux crâne de liquide vaseux. Elle le fixait d'un oeil bleu éteint. Il lui manquait l'autre, remplacé par un énorme champignon, saillant de l'intérieur de son crâne.

Robert bégaya des syllabes aiguës, couinant comme un gosse laissé dans l'obscurité infinie. Il s'appuya au mur, se redressant de justesse avant de tomber. A l'impact du choc effroyable de ce qu'il venait de voir, il jaillit hors de la maison dans le froid glacial, les yeux fous. Il remonta dans sa voiture en suffoquant.

Il prit la direction de la station service.

*

Ralph Hayes essayait de joindre Robert en vain depuis la réception du George Palace. Il téléphona sur la ligne interne aux cuisines et demanda Marina Chang.

« Marina, je n'arrive pas à joindre Monsieur Jovignot. Ça ne répond ni chez lui, ni sur son portable. Je sais que vous êtes assez proches, pouvez-vous essayer ? Il répondra peut-être si c'est vous. C'est vraiment urgent.

- Je vais essayer de nouveau mais je n'y arrive pas non plus. J'ai déjà essayé il y a une heure.

- Merci Marina, dit-il en raccrochant. Juliana ? Vous avez vu Stella ?

- Non, fit la jeune femme, nerveuse.

- Il faut qu'elle vienne nous aider.

- Je ne peux pas aller la chercher là tout de suite, il y a trop à faire. »

La file de clients valises à la main se densifiait à la réception. Des gens qui avaient décidé d'écourter leur séjour pour partir sans plus attendre à cause des explosions qui avaient retenti plus tôt dans la journée. Juliana Fobert et Ralph Hayes tentaient de gérer tous les départs dans le calme et l'ordre, mais de nombreux clients s'impatientaient.

« Elle est là ! fit Juliana en désignant une silhouette fine au bout du hall. Allez-y Ralph, je m'occupe des annulations, mais faites vite. »

Ralph Hayes se précipita vers Stella Wings qui marchait vers la sortie en trainant deux grosses valises à roulettes. Il la suivit à travers le hall.

« Stella ! On vous cherchait partout. On a besoin d'un coup de main à la réception. Tous les clients partent. D'ailleurs, à quel client appartiennent ces valises ? Il faut que je les prévienne qu'elle sont descendues. Il faut absolu...

- Ce sont les miennes.

- Pardon ?

- Ce sont mes valises.

- Je ne comprends pas. »

La directrice commerciale s'arrêta et lui fit face. Elle sortit une cigarette de sa poche qu'elle glissa dans sa bouche.

« Je me casse, je prends le large, je quitte le navire, choisissez la formule qui convient. Je n'ai plus rien à faire ici. C'est devenu un hôtel géré par des fous dans une ville de fous, et j'ai assez donné. Et vous, Ralph, vous feriez mieux d'en faire autant et de retourner en Californie.

- Vous me décevez, Stella. Vraiment, dit-il d'une voix où perçait la colère.

- Navrée. Salut » dit-elle en haussant les épaules.

Cigarette coincée entre ses lèvres, elle reprit sa marche rapide vers la sortie, les valises bourdonnant à ses pieds. *Laisse tomber*, se dit-il. Il fit un rapide détour par les cuisines. Marina Chang avait donné instruction de nettoyer et de ranger, ayant appris que les clients étaient repartis en masse.

« Alors ? Vous avez pu joindre Jovignot ?

- Non, dit Marina, inquiète.

- C'est pas vrai. »

Ralph repartit vers la réception, traversa le couloir désert tapissé de moquette. Il avait trop chaud, la sensation soudaine d'étouffer. *Il faudrait baisser les radiateurs. J'irai faire un tour à la chaudière tout à l'heure, il faut que...* Il sentit quelque chose d'anormal, un picotement sur ses doigts. Ses mains semblaient avoir changé de couleur. Ou bien était-ce l'effet que produisait la lumière des lustres dans le couloir rouge. Car ses mains étaient rouges. Il regarda de plus près, souleva ses manches. Ses mains, ses bras étaient rouges, ornés de motifs. Les mêmes motifs, choisis par Brooke Jovignot, qui tapissaient les murs.

« Non non non ! » cria-t-il.

Il arracha ses vêtements par mouvements saccadés de frayeur. Il était recouvert de moquette. Sa peau fondait sous la tapisserie du couloir, une sensation de chaleur insoutenable. Il sentit les tissus épais de propager sur son visage l'aveuglant, recouvrant le hurlement qui sortait de sa bouche.

Une cliente portant un épais manteau de fourrure poussa un cri et appela à l'aide. Juliana se précipita dans le couloir, suivie d'un attroupement de clients.

Ralph Hayes reposait au sol, les yeux ouverts, inanimés. Il gisait dans une position étrange, et s'était arraché ses propres vêtements avec des lambeaux de peau sur le torse, comme si les tissus avaient fondu sur son épiderme.

« Ralph !! »

Juliana se pencha vers lui, affolée, s'agenouilla et essaya de chercher un pouls, une respiration, tout en conservant un sang froid qu'elle sentait la quitter de secondes en secondes. Un client en parka camouflage d'une soixantaine d'années la rejoignit et s'accroupit devant l'homme à terre.

« Vous êtes médecin ? demanda Juliana en s'agrippant à sa parka.

- Vétérinaire. Mais je peux regarder. »

Des murmures étouffés parcoururent la clientèle amassée en silence au bout du couloir. Juliana tenait dans ses mains les doigts encore brûlants de son collègue. Le vétérinaire se releva.

« Il est mort, Mademoiselle. On dirait bien qu'il s'est étouffé. Je suis désolé.

- Non ... » murmura Juliana.

Elle sentait sa voix s'étrangler. Elle prit une grande inspiration, et toujours assise par terre, leva la tête vers les clients.

« Vous pouvez partir, dit-elle d'un ton froidement professionnel. Vos séjours vous seront remboursés. Avec toutes les excuses de l'établissement. »

Elle fondit en larmes sur la dépouille de son collègue.

*

Rob aperçut la station service à la nuit tombée. Un faux père Noël poussiéreux aux proportions ridicules montait la garde derrière la vitrine, saluant les clients d'une main gantée en plastique.

« A nous deux maintenant fils de pute. »

Il arrêta sa voiture devant une pompe et manqua de glisser sur la neige en sortant. Il transpirait sous son lourd manteau de laine et son écharpe mais se sentait glacé. Il fit teinter la clochette de la porte plus fort qu'un client ordinaire.

« Bonjour » s'enquit le même garçon que la dernière fois derrière la caisse. Le jeune employé semblait plus alerte, cette fois-ci. Il se tenait droit à côté d'un sapin nain rachitique où pendaient trois boules en équilibre précaire, disponible, sans magazines, sans distraction, tout entier à ses clients. Cela était sûrement dû à la présence de l'homme assis derrière un vieil ordinateur dans un bureau resté entrouvert. Sans doute s'agissait-il du patron.

Sans répondre au caissier, Rob marcha vivement vers le fond de la boutique. Il parcourut le peu de rayons les yeux injectés de sang.

« Je peux vous aider Monsieur ? » demanda le garçon.

Robert s'avança à toute vitesse vers le comptoir.

« Où est le vieux en salopette ?

- Qui ça ?

- LE VIEUX QUI PASSE LA SERPILLÈRE !! » hurla Rob.

Le garçon stupéfait se raidit, la lèvre tremblante. Un grincement retentit dans la pièce d'à côté.

« Je me souviens de vous. Vous m'avez déjà posé la question, mais il n'y a pas … »

Rob attrapa le jeune homme par les épaules au-dessus du comptoir et le secoua violemment.

« Où est ce fils de pute !!?? »

Le patron jaillit du petit bureau.

« Lâchez ce gamin vous, qu'est-ce qu'il se passe !?

- Où est le vieux qui passe la serpillère ? cria Rob sans lâcher le garçon.

- Calmez-vous mon vieux. Je viens d'appeler la police. Il vaut mieux qu'ils vous retrouvent plus serein si vous ne voulez pas être embarqué. »

Rob avait la mâchoire crispée. Une écume de rage se formait à la commissure de ses lèvres. Sans quitter le patron des yeux, il lâcha le jeune homme et rabattit aussitôt les mains autour de son cou.

« Lâchez-moi espèce de malade ! »

Le garçon se débattit, Rob lâcha prise et hurla.

« Le vieux de la serpillère ! Il est où bordel ?

- Monsieur, fit le patron d'une voix calme. Nous ne voyons pas de qui vous parlez. Nous n'employons pas de personnes âgées ici.

- Vous mentez ! »

Rob courut jusqu'au minuscule cagibi qui servait de bureau. Il n'y avait personne. Il envoya valser le contenu des étagères. Le patron et son employé se jetèrent sur le client en crise de folie pour essayer de le maîtriser. Rob sentit un poing s'abattre sur son visage. Il voulut répliquer mais la tête lui tournait. Il lui semblait entendre un drôle de bruit. Un son aigu et répétitif. Il comprit lorsqu'il vit les flics entrer dans la pièce étroite, piétinant les dossiers éparpillés sur lesquels il gisait.

Ces derniers eurent tôt fait de maîtriser Robert Jovignot et de l'embarquer sous le regard ahuri du patron de la station et de son employé.

« C'était quoi cette histoire de vieux en salopette ? demanda le gérant.

- J'en sais rien, mais c'est la deuxième fois qu'il se pointe pour me parler d'un vieux qui passe la serpillère. Ce mec est fou avec cette histoire. On dirait pas comme ça pourtant.

- Il est complètement frappé oui. »

*

Il était assis seul sur le banc de la cellule de garde à vue. Il ne savait plus depuis combien de temps il était là. Il savait juste qu'il faisait nuit. C'était la première fois qu'il se trouvait derrière des barreaux. Il s'était toujours figuré que cela n'arrivait qu'aux autres. Jamais aux gens comme lui. *Et pourtant ... Tu vois mon vieux, t'es pas mieux que les autres.*

Il se sentait sale, débraillé. Et profondément perdu.

Pauvre type. Si tes parents te voyaient.

Il eut un ricanement amer. Un flic passa et le regarda d'un oeil soupçonneux avant de disparaître à nouveau. *Et ouais mon gars*, dit-il au flic en pensée. *Ouais je deviens fou, j'ai mes raisons. Ma vie est définitivement partie en vrille et je ne peux plus rien rattraper. Ma femme va être dévorée d'elle-même, ses amants vont continuer à mourir de morts atroces. Tout ça à cause du sort que je leur ai fait jeter sans le vouloir par un mec en salopette. J'aurais dû fermer ma gueule. Le nombre d'occasions qu'on a de fermer sa gueule dans la vie, ça donne le vertige. Je n'ai que ce que je mérite.*

Il se cacha le visage dans la main et sanglota en silence.

Tout ce qu'il avait construit à Woodburg, il l'avait fait pour les mauvaises raisons. Pour avoir voulu plus que ce à quoi le *Sabot Crotté* qu'il était pouvait prétendre. Pour se débarrasser une fois pour toutes de *Gros Robert*.

La facture était sacrément salée. Hors de toutes proportions, comme l'avait été son ambition.

La porte s'ouvrit. Rob ne s'était attendu à rien. Il avait appelé Spencer et ne se souvenait déjà plus de ce qu'il lui avait dit au téléphone. Il ne savait pas quand son avocat arriverait mais il n'était pas pressé. Il n'avait même pas espéré que ce soit lui.

Ce n'était pas pour le faire sortir que l'on ouvrait la cellule, mais pour y faire entrer un homme sale et harassé en état d'ébriété. L'homme à la longue barbe grise et aux cheveux gras s'assis avec un grognement aviné, manifestement habitué au lieu, le reconnaissant malgré son état d'ivresse. Il s'endormit rapidement, le menton collé à son pull troué où coulait un filet de bave.

Robert ne s'en fit aucune illusion, malgré son joli manteau de laine.

Il ne valait pas mieux que son voisin.

CHAPITRE 13

La porte de la cellule fut ouverte autour de minuit. Rob en sortit courbaturé et défraîchi. Au bout du couloir blafard se tenait son avocat. Spencer Billings affichait un sourire d'où perçait le dépit, de ceux qui cherchent à rassurer quand tout s'effondre. Il tenait Georgia endormie contre son épaule. Rob fut mortifié de honte.

« Ma soeur est en déplacement, avertir Spencer. Je ne pouvais pas laisser la petite seule chez moi. »

Rob hocha la tête et baissa les yeux.

« Je me suis occupé de ta caution. Tiens, voilà tes affaires. »

Spencer lui tendit un sachet en kraft contenant sa montre, ses clés et son portefeuille. Nouveau hochement de tête honteux. *Gros Robert* aux yeux rougis. Pathétique.

« Tu ressembles vraiment à une merde, ajouta son ami. Allez viens, je te ramène à la maison ».

Spencer prit Rob par l'épaule et le fit marcher avec lui vers la sortie. Ils passèrent sous une banderole délavée qui leur souhaitaient un Joyeux Noël. Rob ne broncha pas au froid dévorant en traversant le parking. L'avocat lui ouvrit la portière de sa Mercedes avant d'installer

Georgia sur le siège enfant. **Rob** déroula sa ceinture de sécurité d'un geste de somnambule.

« T'as pris des idées de déco pour ton Palace au moins ? »

Rob força un sourire automatique. Spencer démarra. Il se refusa à annoncer à Robert la désertion massive des clients de son hôtel. Et la mort de Ralph Hayes.

Tandis qu'ils regagnaient la route, un feu se déclara dans la cuisine du George Palace déserté. Les flammes mirent peu de temps à venir lécher les tentures des couloirs et d'embraser la grande salle.

Soledad Orteno qui ne dormait pas encore fut la première à apercevoir des flammes géantes derrière les hautes fenêtres de l'hôtel. Elle dut chausser ses lunettes pour être certaine de ce qu'elle voyait. Puis elle se rua sur le téléphone et avertit les pompiers.

L'incendie avait déjà atteint le premier étage lorsque les premiers camions arrivèrent. Entre-temps, tout Woodburd s'était réveillé pour regarder flamber le George Palace.

*

« Bienvenue à Woodburg » annonçait le panneau. Rob le trouva déplacé, ironique.

« On est arrivés, » dit Spencer en baillant.

Il s'engagea dans le virage qui révélait le village sur le lac.

« C'est quoi ça !? Dis-moi t'y es pas allé de main morte avec tes guirlandes cette année ! »

De loin, cela ressemblait à un coucher de soleil sur l'eau en pleine nuit.

« Faudra régler un peu l'éclairage Rob.

- Mais de quoi tu parles ? »

Puis Spencer freina.

« Dis-moi que ce n'est pas ce que je crois ... dit Rob.

- Bordel de bordel non !!!! » hurla Spencer.

De loin, ils voyaient des ombres s'agiter pour maitriser l'incendie. Les camions de pompiers cernaient l'hôtel qui désormais brûlait jusqu'à ses combles. Rob eut une sensation étrange. La chose était presque indolore. Il n'avait plus de réserve de révolte ni d'indignation. Juste un dépit monstrueux. Spencer était au bord de la crise de nerfs, et Georgia réveillée se mit à pleurer à l'arrière. Deux nouveaux camions de pompiers les dépassèrent à toute vitesse et foncèrent dans la ville illuminée.

Les cris de sa fille sortirent Rob de son apathie.

« Spencer, calme-toi.

- Hein ? rugit l'avocat.

- Ecoute-moi.

- C'est un cauchemar !!

- Spencer, respire un bon coup, j'ai besoin de toi. Tu vas me conduire jusqu'à la maison et tu vas y rester avec Georgia. Pendant ce temps, je vais redescendre voir ce qu'il s'est passé.

- Comme tu veux, dit Spencer en redémarrant.

- Juste un truc, avant.

- Dis-moi.

- Il ne faut pas que tu paniques quand tu verras Brooke.

- Comment … comment ça ?

- Tu verras de quoi je parle. Tout ce que je te demande, c'est de veiller sur Georgia le temps que je redescende en ville. Je peux compter sur toi ?

- C'est une vraie question ?

- Allons-y. »

*

Ils entrèrent dans la villa plongée dans le noir et la puanteur. Rob alluma l'interrupteur principal. Spencer tenait Georgia rendormie dans le col de son manteau. Il renifla et toussa, écoeuré par l'odeur de pourriture humide qui imprégnait les murs. C'était comme pénétrer dans les égouts. Il s'engagea d'un pas prudent dans le salon, inquiet des avertissements de Robert. *Qu'est-ce qu'il se passe ici encore ?* Un instant d'épouvante absulue, il se demanda si Rob avait tué sa femme. Après tout, son ami était sévèrement en train de péter les plombs au point qu'il ait dû aller le récupérer chez les flics. Et s'il avait commis l'irréparable ?

L'ombre de Brooke apparut devant lui. Il fut rassuré une seconde. Puis il manqua de défaillir. Seule sa silhouette demeurait reconnaissable. La femme superbe qu'il avait connue s'était muée en chose indescriptible. Des moisissures grimpaient sur sa peau. L'oeil qui lui restait semblait vierge de tout étincelle de vie. Pourtant, elle se tenait debout. *Elle est très malade*, lui avait dit Rob. *Tu m'étonnes.* Spencer inspira profondément et prit sur lui. *Il ne faut pas que tu paniques quand tu verras Brooke.* Il acquiesça au souvenir de sa promesse. Calmement, il emmena Georgia avec lui dans la cuisine.

Pendant ce temps, Rob cherchait les clés de la Toyota de Brooke en jurant. Il ne savait pas où était sa Lincoln. La police avait dû la mettre à la fourrière la plus proche de la station service. Il remua les tiroirs de la commode de l'entrée et finit par tomber sur le sac à main en cuir rouge avec lequel sa femme était sortie pour la dernière fois. Les clés étaient à l'intérieur.

« Spencer, j'y vais ! » cria-t-il sans attendre de réponse.

Robert claqua la porte derrière lui. Vu d'en haut il eut le sordide spectacle de l'incendie, où il voyait s'écrouler l'oeuvre de sa vie. Les reflets d'un feu d'enfer se reflétaient sur le lac, donnant l'illusion que l'eau elle-même prenait feu. De là où il était, il pouvait constater à sa droite la destruction de son hôtel, et à sa gauche, de l'autre côté du village clignotant joyeusement dans la nuit, le chantier dévasté du Country Club fermé. *Bon, c'est pas le moment de pleurer, tu auras tout le temps pour ça après mon pauvre vieux.*

Il descendit les deux marches du perron en serrant les clés de voiture dans ses mains et s'arrêta net. Il écarquilla les yeux, dans le doute de ce qu'il pensait voir.

Un long cortège de voitures remontait la route vers chez lui. Les véhicules, nombreux, bloquaient toute la voie. Les premiers s'étaient arrêtés au bord de son allée. Il entendit des slaves de portières claquer. Les gens sortaient des voitures et grimpaient le reste de la montée à pieds. Et tous marchaient vers sa propriété. *C'est qui ? Mais qu'est-ce qu'ils fabriquent ?*

Les clés de la Toyota lui échappèrent des doigts et tombèrent en un bruit mat sur la couche de neige. Il ne pourrait aller nulle part de toute façon. Le temps de le comprendre, une centaine de personnes piétinait la neige dans son allée. Il reconnut le maire et son épouse. Il reconnut des journalistes du Daily Woods, et ses détracteurs venus en nombre, Roberta Madden se tenant en tête, suivie des couples Woodehouse et Dubonnet. Il distingua sous les réverbères les visages fermés de ceux qui ne lui avaient jamais caché leur hostilité. Melanie Hunter était venue sans sa nièce mais avec Sharon Bishop et Claudia Fortin, ses concurrentes aux ennemis communs. Il vit s'avancer parmi d'autres Tonya Jen, Mervyn et Laura Saintclair, Susan et Anton Petit, Adriana et Fabio Alemne, Heather Foley et Norma Blank. Il y avait parmi eux nombre d'habitants qu'il ne connaissait pas, et de commerçants qu'il pensait neutres. Christopher Foley du WB Market avait finalement été convaincu par sa furie d'épouse, et d'autres qu'ils pensaient de con côté retournés contre lui par l'appel de la pétition. De riches membres du Country Club désarçonnés par sa fermeture avaient même accepté de se joindre à la masse tels que Lorenza Page, les Waterfalls et les Flare, non sans s'être enveloppés de fourrures pour braver le froid en se distinguant des américains moyens. Tous le regardaient sans ciller.

Puis le maire s'avança jusqu'à Robert dans une démarche qu'il voulut théâtrale.

« Vous avez mis cette ville à feu et à sang, Robert Jovignot. Nous avons enduré plus que nous n'en pouvons supporter.

- Et vous avez assassiné votre femme ! » cria Linda Springs.

L'intervention de la première dame de Woodburg fut suivie d'une rumeur unanime d'indignation et de colère. Rob sentit quelque chose de petit agripper ses jambes par derrière. La porte de la maison venait de s'ouvrir. Georgia avait échappé à   la surveillance de Spencer et s'accrochait désormais aux jambes de son père, apeurée. Rob s'empressa de la ramasser pour la tenir fermement contre lui. Georgia ne pleurait pas, rendue muette par la peur. Spencer les rejoignit en courant sur le porche et s'arrêta net, abasourdi.

« Qu'est-ce que c'est que ce truc ? Dis-moi si j'hallucine ou si toute la ville est réunie dans ton allée ... » souffla l'avocat.

« Vous êtes complice ! » surgit une voix de la foule. Des doigts émergèrent de la masse se pointèrent sur Spencer.

« Quoi ?!

- Vous êtes complice d'assassinat ! cria Norma Blank, aussitôt acclamée.

- Mesdames, Messieurs, cria Spencer en articulant. Vous êtes ici sur une propriété privée. Je vous demanderai donc de vous en aller maintenant. Si vous partez dans le calme, je peux vous garantir que mon client n'engagera aucune poursuite.

- On ne partira pas ! Robert Jovignot est un assassin ! Il est dangereux ! » s'époumona Caroll Woodehouse.

La colère grondait. A présent elle n'était plus sourde. La foule se mit à scander le mot assassin.

Spencer jeta un regard anxieux à Rob. La masse en colère se répandait devant la façade de la maison. Rob fit un pas prudent en arrière et Spencer acquiesça en signe de connivence. *Mieux vaut rentrer à l'intérieur et appeler la police.* Et la seconde qui suivit, de façon inattendue, la foule se tut. Un silence déplacé, incohérent.

Brooke était apparue derrière eux sur le perron. Spencer et Rob eurent un mouvement de recul, surpris. Au dehors on n'entendait rien d'autre que le vent hurlant. Chacun cessa de bouger, figé dans la stupeur de ce qu'il voyait. L'assemblée entière semblait avoir cessé de respirer.

Les gens restèrent pétrifiés, tellement saisis par son apparence terrifiante que personne ne remarqua ce que Brooke Jovignot tenait dans les mains et à la ceinture de ses vêtements imbibés de miasmes. Les armes de George Hansen.

Soudain s'éleva une voix tonitruante, monstrueuse, sortant de ses lèvres déformées de poisson luisantes, qui fit trembler la montagne. Brooke Jovignot hurla quelque chose d'indistinct qui ne ressemblait à aucune langue connue. Quelques personnes mouillèrent leur pantalon.

Le premier coup de feu partit dans la stupéfaction générale et traversa le crâne de Rupert Springs qu'il fit exploser. La foule remua d'un coup, hurlante agitée de panique. Et Brooke lui tirait dessus, cartouche par cartouche, tandis que tous cherchaient à fuir.

« Brooke arrête !!! » hurla Rob.

Mais sa femme ne l'entendait pas. Ella avançait sans pitié sur les gens qui trébuchaient, tombaient dans le ravin devant la maison, couraient en tous sens. Elle explosa le torse de Roberta Madden, laissa tomber une arme vide et en saisit une autre à sa ceinture. Tombés à terre, des hommes et des femmes terrorisés imploraient d'être laissées en vie.

Brooke se retourna à temps pour voir Spencer courir vers elle pour l'arrêter et tira. L'avocat hurla et tomba en tenant son bras ensanglanté. Elle croisa le regard de Rob de l'oeil qu'il lui restait. Sa détermination sembla faillir l'espace d'un instant, à la vue de son mari tentant leur fille effrayée dans les bras.

« Arrête ça Brooke ! Arrête de tirer je t'en supplie ! » rugit-il.

Brooke le mit en joue et tira.

Robert senti une violente déchirure dans son ventre. Il n'entendait plus rien qu'un sifflement. Au ralentit comme dans un rêve, il vit les gens courir et s'enfuir, d'autres tomber dans des flaques de sang souillant la neige. Il sentait encore Georgia s'accrocher de toutes ses forces à son cou en hurlant. Il sentait le coeur furieux de sa fille contre lui. *Elle est vivante.* Et lui allait mourir. La douleur était insoutenable. De ses dernières forces, soulevé par la rage, il courut pour mettre sa fille à l'abri, lui donner une chance de survivre au massacre. Sa cheville heurta une pierre recouverte par la neige. Il trébucha au-dessus du ravin.

Il chuta, roula sur lui-même en pissant le sang sur la neige. Il dégringola en roulant un temps infini, serrant toujours sa fille dans ses bras.

Enfin, ce fut le néant.

CHAPITRE 14

Le soleil de février glaçait le ciel. Le commandant de bord annonça une météo dégagée durant le vol. L'avion venait de se stabiliser dans un bleu froid et sans nuages.

« Regarde, la dame veut te donner quelque chose » dit Rob.

Georgia posa sur ses genoux la poupée qu'il lui avait achetée à l'aéroport et prit des deux mains le berlingot de jus de mangue que lui tendait l'hôtesse de l'air. La petite se concentra pour boire, les manches de son pull s'affaissèrent légèrement, révélant des cicatrices encore apparentes.

Les médecins avaient été formels, les cicatrices et contusions se résorberaient peu à peu, mais il ne fallait pas espérer que son épiderme resterait vierge de marques. Georgia avait été passablement épargnée dans la chute à travers le ravin, bien protégée par son père. Elle s'en était sortie maculée d'égratignures plus ou moins profondes et d'hématomes combinés à une entorse, mais garderait à vie une longue marque suture sur le flanc qui grandirait avec elle. Quant à Robert, il avait souffert des mêmes traumatismes que sa fille en plus lourd, ayant amorti tous les chocs de son corps. Sans compter deux côtes brisées, et la balle qui avait traversé son ventre en épargnant par miracle ses organes vitaux. On lui avait dit qu'il pouvait s'estimer heureux d'être en vie sans autre séquelles que des cicatrices indélébiles.

« Où est Maman ? demanda Georgia.

- Bois ton jus ma chérie. Elle nous regarde par la fenêtre. »

Georgia jeta un regard curieux au hublot. Elle ne comprenait pas encore bien où était sa mère. Elle la réclamait souvent. *Un jour il faudra lui expliquer.* Il ne pouvait que lui dire que maman était au ciel. Mais plus tard, il serait bien obligé de lui apprendre que sa mère avait été abattue par la police après s'être livrée à un massacre sur les habitants de leur petite ville, et qu'elle avait essayé de les tuer tous les deux. Il lui expliquerait que sa mère était très malade et qu'elle n'était plus elle-même. Ou alors l'était trop devenue.

Spencer Billings aussi avait survécu malgré le sang qu'il avait perdu. Il avait pu sortir de l'hôpital plus vite que lui malgré sa blessure au bras droit. Il n'en avait pas encore récupéré toute la mobilité mais les progrès faits en rééducation s'avéraient encourageants. Il était retourné rapidement travailler à son cabinet de Samsontown avec son bras en écharpe. Il avait beaucoup aidé Robert, récupéré ce qui pouvait l'être par les assurances de Robert et celles de RJ Company. Ces dernières avaient couvert une partie des dégâts et désormais, l'avocat terminait de liquider les affaires de Robert et disposait d'un mandat pour vendre sa villa.

Si Spencer Billings lui aussi avait été épargné, beaucoup n'avaient pas eu cette chance. Il y eut une quinzaine de morts. Des gens qui haïssaient Robert mais n'auraient jamais dû finir ainsi. Robert pensait chaque jour à chacun d'entre eux, nom par nom. Même à Roberta Madden. Sans compter les morts atroces des amants de Brooke auxquelles était venue s'ajouter celle de Ralph Hayes. Il avait appris sa mort inexpliquée durant sa convalescence à l'hôpital. Il avait insisté auprès de Juliana pour avoir des nouvelles de Ralph Hayes chaque fois que son assistante était venue le visiter. Il lui demandait où était Ralph, pourquoi ne lui avait-il pas au moins téléphoné, cela l'étonnait de sa part. Peut-être le détestait-il, lui aussi ? Cette dernière hypothèse avait achevé de faire craquer Juliana. Elle ne pouvait plus le lui cacher plus longtemps.

*

« Tiens, tu as encore une valise, là, regarde. »

Georgia s'empara de leur dernier bagage craché par le tapis roulant. Un sac de toile aux motifs de Winnie l'Ourson.

« Tu peux le porter ? Il n'est pas trop lourd ?

- Oui. »

Robert hissa sur ses épaules les deux autres sacs et tira les trois valises à roulettes contenant toutes les affaires qu'il avait décidé de garder de leur ancienne vie. Puis ils marchèrent longtemps dans les galeries de l'aéroport. Ce fut à ce moment que Robert réalisa que Georgia posait le pied en France pour la première fois.

Soudain, on l'appela. Il entendit son prénom sans l'accent américain. Son prénom scandé comme un cri de joie. La seconde d'après, sa soeur se jetait dans ses bras.

*

La Renault Espace de Claudine serpentait dans l'hiver bourguignon. Le soleil commençait à descendre sur les vallons de la Côte d'Or qui portait bien son nom.

Robert bailla ostensiblement. En s'étirant dans l'habitacle spacieux, il jeta un oeil sur la banquette arrière. Georgia dormait sur le siège bébé que Claudine avait en permanence dans sa voiture. Robert sourit et revint au paysage qui défilait sous la conduite silencieuse de sa soeur.

La drôle de scène qu'il avait vécue plus tôt dans l'avion revint à sa mémoire épuisée par le voyage. Peut-être l'avait-il rêvée. Quoi qu'il en fut, en sortant du cabinet de toilettes, un passager avait baissé son journal et lui avait souri. Un homme sans âge aux traits marqués qui pouvait avoir aussi bien trente ans que cinquante. Le même voyageur assis sur le siège voisin lors de son dernier vol vers la France. Rob était resté sidéré devant l'homme au journal, à tel point qu'il eut un instant douté de sa réalité, comme il l'avait toujours fait à propos du type de la station service.

« Comme on se retrouve ! avait dit l'inconnu sur un ton amusé.

- En effet, c'est surprenant, avait-il bredouillé.

- Alors, il faut croire que les allers-retours au pays sont plus réguliers ?

- Non. Cette fois-ci c'est un aller simple. Je rentre chez moi. »

A cet instant précis, il s'était fait la réflexion que sa fille de seulement trois ans oublierait peut-être qu'elle avait vécu en Amérique. Il se pourrait qu'elle n'en ait aucun souvenir. Rob y remédierait lorsqu'elle serait plus grande, grâce au sac rempli d'albums photo qui les attendait dans la soute.

Le type sans âge lui souriait, avec cette expression d'indulgence que l'on a pour un fou lorsqu'il revient à la raison après une longue errance.

    « Les choses ne se sont pas passées comme vous vouliez là-bas, dit l'inconnu d'un ton aimable qui n'avait rien d'une interrogation.

- On peut dire ça, oui, concéda Robert Jovignot en soupirant.

- Sale histoire ?

- Oui … Sale Histoire. »

- FIN -

REMERCIEMENTS

Merci à ma famille chérie et à mes amis.

Merci à mon mari, et à ma belle-famille.

Merci à mes très chers lecteurs, sans qui toute cette aventure n'aurait aucun sens.

Aimablement,

Charline Quarré

DU MÊME AUTEUR

ROMANS

A Contre-Jour, 2011
Pas ce Soir, 2012 (Nommé au Prix Littéraire
François Sagan 2013)

RECUEILS DE NOUVELLES D'EPOUVANTE

Train Fantôme, 2015
Ecarlates, 2016
Made In Hell, 2017
Série B, 2018

ROMANS D'EPOUVANTE

Fille à Papa, 2019
Influx, 2020
Soap, 2021
Sale Histoire, 2022

Site web de l'auteur : www.charlinequarre.com